画好自己的底线

人生360度
一分钟经典故事

康桥／编著
潘方尔／绘

上海辞书出版社

目录

1. 态度决定高度

2. 习惯左右人生

3. 作为决定地位

4. 财富代表实力

5. 创新开辟蓝海

6. 细节决定成败

7. 危机蕴含机遇

8. 竞争带来活力

1.

态度决定高度

☞ 态度决定一切，其真正含义是：在同样的条件下，态度是一个最重要的因素。换句话说，面对同样的成功要素，一个人能不能成功，就要看各人的态度了。为什么要把态度单列出来？因为相比之下，态度是最重要的一个主观因素。正是在这个意义上，态度是最重要的，它决定了我们看问题的高度。

☞ 人生如玫瑰，有花有刺。然而，乐观的人看玫瑰，见花不见刺；悲观的人看玫瑰，见刺不见花。

☞ 乐观者在每次危难中都看到了机会，而悲观的人在每个机会中都看到了危难。因此，一定要懂得积极态度所带来的力量，要坚信希望和乐观能引导你走向胜利。

☞ 人生的成就，并非决定于你的遭遇，而是决定于你面对遭遇时的态度。

故事 1

什么使生活 100% 圆满

如果令 A、B、C、D、E、F、G、H、I、J、K、L、M、N、O、P、Q、R、S、T、U、V、W、X、Y、Z 分别等于百分之 1、2、3、4、5、6、7、8、9、10、11、12、13、14、15、16、17、18、19、20、21、22、23、24、25、26。

那么，

Hard work（努力工作）

H+A+R+D+W+O+R+K

=8+1+18+4+23+15+18+11=98%

Knowledge（知识）

K+N+O+W+L+E+D+G+E

=11+14+15+23+12+5+4+7+5=96%

Love（爱情）

L+O+V+E

=12+15+22+5=54%

Luck（好运）

L+U+C+K

=12+21+3+11=47%

这些我们通常认为重要的东西，往往并不是最重要的。什么能使得生活变得圆满？

是 Money（金钱）吗？

不！

M+O+N+E+Y=13+15+14+5+25=72%

是 Leadership（领导能力）吗？不是！

L+E+A+D+E+R+S+H+I+P

=12+5+1+4+5+18+19+8+9+16=97%

那么，什么能使生活变成 100% 圆满呢？

ATTITUDE（态度）！

A+T+T+I+T+U+D+E

=1+20+20+9+20+21+4+5=100%

我们对待工作、生活的态度，能够使我

们的生活达到 100% 圆满。

酷评

态度决定高度

态度决定一切，并不是说，只要有一个良好的态度，就万事大吉了。

态度决定一切，其真正含义是：在同样的条件下，态度是一个最重要的因素。换句话说，面对同样的成功要素，一个人能不能成功，就要看各人的态度了。为什么要把态度单列出来？因为相比之下，态度是最重要的一个主观因素。正是在这个意义上，态度是最重要的，它决定了我们看问题的高度。

心态是人的一切心理活动和状态的总和，是人对社会生活的反映和体验。它对一个人的思想、情感、需要、欲望有着决定性的影响，决定着一个人对待工作、对待生活直至人生的态度。

有了一个良好的态度，没有条件可以创造条件，没有知识可以学习知识，没有技能

古来事事难圆满
事到尽处必回转
凡事需要留余地利
逐无穷底朝天
古乐画之
老潘印信

可以掌握技能，没有金钱可以赚到金钱……试想，如果没有一个良好的态度，要素再齐备，也无法成功。世上有许多优秀的人才和一流的企业，不乏资金，不缺技术，但最终都遭遇失败，究其原因，就是没有一个良好的态度。

当然，态度也不是万能的，如果条件实在不具备，再好的态度也没有用，但没有良好的态度是万万不能的。

播下一种心态，收获一种思想，播下一种思想，收获一种行为；播下一种行为，收获一种习惯，播下一种习惯，收获一种性格；播下一种性格，收获一种命运。

英国文豪狄更斯说："一个健全的心态，比一百种智慧都更有力量。"让我们要拥有学习的心态、归零的心态、积极的心态、付出的心态、坚持的心态、合作的心态、谦虚的心态、感恩的心态、真诚的心态、专注的心态、自信的心态……总之，一个良好的心态！

故事 2

报上的好消息

报纸通常都是一些令人不愉快的消息，但是美国亚利桑那州的《论坛报》，有一天便给读者意外的惊喜，报上登的全是好消息。

这家报纸将当日报头改为《好消息论坛报》，以明显的位置报道：某市因资源回收而获得利润，另一个城市的自来水滋味则是历年来最甘甜的，连体育版、娱乐版，甚至社会版全都是好消息。

该报总编辑在第一版写道："我们报道的社会似乎充满了打打杀杀、死亡与毁灭，但我们都知道，大部分生活其实不是这样的。”

该报连报道迈阿密海滩邮轮失火的消息，标题都写成：“邮轮失火，所有乘客生还。”

酷评

心态决定姿态

西方报纸大多报忧不报喜。他们的名言是：狗咬人不是新闻，人咬狗才是新闻。可是，生活本身并不像国际新闻那样惊心动魄，也不像国内新闻那样丰富多彩。

报纸带来的，经常是远处的饥荒、无情的战火依然存在的消息。问题在于，新闻已经成为一种消费品。当事件发生的时候，人们不是关心新闻事件，而是欣赏事件的过程，热衷于看战争的精彩程度。所以，当一个总统觉得国内矛盾焦头烂额的时候，他往往就会挑起一场海外的战争，来转移人们的视线。报道里的社会充满了打打杀杀，是为了让读者解脱平凡生活的枯燥乏味。

《好消息论坛报》充分意识到了这一点，

它反其道而行之，给读者展现了生活中美好的一面，即使本来是坏消息。

消极的心态与积极的心态，对行事会造成不同的后果。积极的精神态度，始于内心的状态。积极心态是具有吸引力最重要的个性。积极心态影响你说话时的语气、姿势和面部表情，它会修饰你说的每一句话，并且决定你的情绪感受，它还会对你的思想产生影响。保持正常积极的精神态度是走向成功的必要条件。

人生的成就，并非决定于你的遭遇，而是决定于你面对遭遇时的态度。

故事3

态度

一个同学被老师叫到黑板前，与另一名同学一起解答问题。

他考虑得很快，并且迫不及待地用粉笔在黑板上“刷刷刷”地写起来，没几下子，就做好了。这时，另外一名同学还在慢慢地边想边写。他想，老师一定会表扬他。

但老师的评语却出乎他的意料：“两名同学都答对了，但这潦草的字迹，马虎的解答，哪里是做学问的严谨态度？做学问，其实也得靠一个人的态度……”

多年后，在职场上经过一番风雨的他，去应聘一个高级会计职位。凭着丰富的工作经验，他杀进了最后一轮面试。面试是二取一，他觉得自己有必胜的把握。

面试的内容，是让两个人统计一个账本中某个项目的年度收支情况。这只是最基本的业务操作，两个人都极其认真地完成了统计。他比竞争对手快了 10 分钟交卷，心里十分满意，也相当自信。

但是结果他却落聘了！他不明白，想知道为什么。接待的会计主管回答："你没有作月末统计，而他不但做了，还作了季度统计。虽然我们只要求你们作年度统计，但年度统计的数据应该从每月合计中得到——这不算什么会计学问，但反映了做会计的严谨态度。其实，你们到了最后一轮面试，能力是相差不多的。我们最后能看的，就只是各人的态度了。"

酷评

态度是一种能力

为世人所提及过无数次，但是仍然有人

会忽略的，就是态度问题。在能力同等的情况下，你凭什么在竞争中胜出？你只能靠态度。

在能力相等的情况下，有的时候态度也能决定问题。比如企业挑选应聘者，在教育背景、工作经验几乎相等的情况下，可能制胜的关键就在于态度了，你是否谦逊、是否踏实等都是绝对重要的。

态度是另一种能力，有时比业务能力更重要。所以，中国足球队前主教练米卢说：“态度决定一切。”

这个故事，还能让人联想到举手之劳问题。有很多事情只是举手之劳，这个时候，可能你稍微勤快一点，就会有机会出现了。最典型的例子就是，新人进公司，有的人每天都提前上班，打扫卫生，并把热水瓶打满，而有的人则不屑一顾。在一些小细节上，你已经潜移默化地在领导的脑海中形成了一定的印象，或勤劳，或懒惰。所以，千万别小看小事，勿以善小而不为，举手之劳也可能带来收获。

无数成功人士总结出这样的成功经验——勤能补拙。的确如此，如果天分并不是太高，那么我们只能勤奋努力，从点点滴滴做起。“不积跬步，无以至千里。”踏实勤奋，定能获得成功。

故事4

苏东坡受教育

一次，年轻的苏东坡到寺院找到佛印大师与其参禅打坐，坐了很长时间，大师问他：在你的对面看到了什么？

其实，苏东坡坐在那里并没有真正参禅打坐，而是眯着眼睛，偷偷打量佛印大师。

在他眼中，佛印大师黑黑的，又矮又胖，他差点都笑了出来，于是对着大师说：“在我的面前，我仿佛看到狗屎一堆……大师，你看到了什么？”

大师沉稳地说：“在我面前我仿佛看到如

来本体。”

这下苏东坡乐坏了，心想：这下我可占到便宜了，我把佛印说成狗屎一堆，而他却说我像如来本体！

苏东坡高兴地回到家里，把事情的经过跟他的妹妹苏小妹说了一遍。

谁知苏小妹笑了起来：“哥哥，你还得意呢，其实你可输惨了，佛家讲的是‘心境’。也就是说，你心里想的是什么，你看到的就是什么，你说佛印是狗屎一堆，其实你就是狗屎一堆；而佛印他说看到的是如来本体，其实……”

话还没说完，苏东坡便已经恍然大悟了，脸顿时热了起来！

酷评

心中有什么，就会看到什么

一个人重要的是他的内心，你抱着什么样的心态，出现在你面前的世界就会是什么样的。

每个人都在追求幸福，但每个人都有一本难念的经。世间不如意事十之八九。无论是百万富豪还是平民百姓，都会有烦恼的事情。心存美好，才能发现事物美好的一面。有好的心态，就会有幸福。

有什么样的心态，就有什么样的状态。心理学家马斯洛曾说过这样一段话：“心若改

变，你的态度跟着改变；态度改变，你的习惯跟着改变；习惯改变，你的性格跟着改变；性格改变，你的人生跟着改变。”

那么，什么是好的心态呢？好的心态是懂得珍惜现在拥有的东西，发现并享受事物美好的一面，并愿意为更多的幸福而努力。或许你觉得幸福总是存在于将来的，其实，幸福就在今天。当然明天也会有明天的幸福，我们甚至要学会享受为明天奋斗的幸福。

我们要选择别人能听懂的语言与他们对话。一位老先生去了日本，回来以后别人问他日本怎么样？他说我有两个口袋，一个里面是好的，一个里面是坏的。你要哪一个？所以，你期望从别人那里得到什么，你就会得到什么。

故事5

咸淡有味

由艺术家入佛的弘一大师，把佛道修行与艺术生活结合起来，更现出他的人生境界。

有一天，他的同事、著名教育家夏丏尊先生前来拜访。吃饭时，见他只吃一道咸菜，夏先生不忍心地说：“难道你不嫌这咸菜太咸吗？”

弘一大师回答说：“咸有咸的味道！”

过了一会儿，弘一大师吃好后，手里端着一杯开水，夏先生又皱皱眉头道：“没有茶叶吗？怎么每天都喝这平淡的开水？”

弘一大师又笑了一笑说："开水虽淡，但淡也有淡的味道。"

弘一大师的"咸有咸的味道，淡有淡的味道"，是一句多么富有佛法禅味的话啊！

酷评

学会品尝人生百味

人生旅途说长不长，说短不短，在几十年的人生旅途中，人不得不面对许多不同的境遇，有顺境当然就有逆境，有风雨当然也有彩虹。

我们可以学做"人生经历收藏家"，收藏非凡的人生滋味。真正的生活就是应该酸辣苦甜咸，五味俱全。人生就好比是一个调味罐，但其中的滋味远比酸甜苦辣咸这五味来得丰富，所谓"人生百味"。应该说，真正的生活含义是甜中有苦，苦中有甜；糖的余味是酸的，苦的余味是甜的。不然的话，富有者何以也有苦，贫困者何以也有甜，失意时不减锐气，得志时萌生怅惘？这些都是人生

你是甜的
还是咸的?
都不是
我是你的

旅途中所不可或缺的。千万不要因为总是经受苦难或总是泡在糖罐里，就认为生活是一味的；也千万不要在品嚼一味时忘记了其他味的存在。

甜味容易让人浅薄，而苦味则让人印象深刻。没有尝到五味俱全的人生，是残缺的人生，不完整的人生。所以，身处顺境未必可喜，而身处逆境也未必可悲。

重要的是怀有一颗宽容、平静的心，接纳百味人生；健全味蕾，以判别多味生活；强化吸收消化系统，以容纳生活多味。

这就是弘一法师告诉我们的“咸淡有味”。

名人名言

要么把马赢来，要么把马鞍子也输掉。

——英国谚语

人活一辈子都要建设人生。失掉建设的人生，没有不垮台的。

——池田大作

要真正体验生命，你必须站在生命之上。

——尼采

谁要是游戏人生，他就一事无成；谁不

能主宰自己，就永远是一个奴隶。

——歌德

你要活得随意些，你就只能活得平凡些；你要活得辉煌些，你就只能活得痛苦些；你要活得长久些，你就只能活得简单些。

——席慕蓉

人生的道路虽然漫长，但紧要处常常只有几步，特别是当人年轻的时候。我爱人生，所以我愿意像一个狂信者那样投入到生命的海里去。

——柳青

人们自古以来，在这条路上行走着，然而，路确实是坎坷不平、逶迤曲折、无边无际的，它具有无数分支，充满着欢乐、痛苦、艰险，但那就是人生的道路。

——泰戈尔

踏上人生的旅途吧！前途很远，也很暗。然而，不要怕。不怕的人，前面才有路。

——有岛武郎

人生如一出戏：重要的不是长度，而是表演的出色。

——塞涅卡

人生一征途耳，其长百年，我已走过十之七八。回首前尘，历历在目。崎岖多于平坦，忽深谷，忽洪涛，幸赖桥梁以渡。桥何名欤？曰：奋斗。

——茅以升

冬天已经来了，春天还会远吗？

——雪莱

我们唯一的敌人就是我们自己。

——迈克尔·乔丹

人是世界的主人，年轻、美丽，征服了大地，会使草木成长，能和树木、野兽、天神谈心。

——罗曼·罗兰

对我来说，人生既没有美丽，也没有罗曼史。人生就是原来的面目。因此，我预备以原来的面目接受人生。

——萧伯纳

今天就是生命，是你能确知的唯一的生命。尽量利用今天，使自己对某件事情感兴趣，把自己摇醒，培养一种嗜好，让热忱的风儿扫掠过你，以高昂的兴致来过今天。

——卡耐基

工作以开头最为重要。

——柏拉图

无疑我们应做的工作，不是那些遥远而

尚不明晰的事，而是已近在咫尺并且十分确切的事。

——卡莱尔

工作能使愚人转为聪明，聪明人转为智慧，智慧的人转为稳健。

——奥斯勒

要工作，要勤奋：劳作是最可靠的财富。

——拉封丹

工作的好处之一是：缩短我们的日子，延长我们的生命。

——巴斯德

不论你的工作是精细或粗重，种植玉米或抒写诗歌，只要是诚实的工作，能符合自己的心愿，它便会为感官和思想赢得一份回报。

——爱默生

悲伤的时候，工作就是良药。

——林肯

我的人生哲学就是工作，我要揭示大自然的奥秘，并以此为人类造福。我们在世的短暂一生中，我不知道还有什么比这种服务更好了。

——爱迪生

对那些思想高尚的人来说，不论什么工作都是高尚的。

——欧里庇得斯

一个民族只有认识到耕种与作诗一样高尚，这个民族才能兴旺。

——华盛顿

我是没有财产的，我所有的一切只是健康、勇气和我的工作。

——巴斯德

2.

习惯左右人生

☞ 但是，有一天上午，他捡起了一块石子，而且这块石子是温暖的……但是，他随手就把它扔进了海里——他已经如此习惯于做扔石子的动作，以致当他真正想要的那一个到来时，他还是把它扔进了海里！

☞ 习惯是我们内心最可怕的敌人。人生如逆水行舟，不进则退。一个人，如果安于现状，不思进取，那么，他的意志力就会消退，他的进取心就会消失。最终，他就成为习惯的俘虏。

☞ 思想决定行动，行动决定习惯，习惯决定品德，品德决定命运。所以，我们要变得优秀，从现在起就要把优秀所必需的品行变成一种习惯，使我们的优秀行为习以为常，变成我们的第二天性。

☞ 我们的忠告是：只有把感悟变成习惯，你的生活才能改变。

故事 6

被抛在海里的点金石

点金石是一块小小的石子，它能将任何普通金属变成纯金。据流传久远的羊皮卷上说，点金石就在黑海的海滩上，和成千上万的与它看起来一模一样的小石子混在一起。

羊皮卷上还记载另外一个秘密：真正的点金石摸上去很温暖，而普通的石子摸上去是冰凉的。

有一个人，不知道从哪里得到了这个秘密，他购买了一些简单的设备，在海边搭起帐篷，开始一个一个检验那些石子。

海滩上布满了各种各样的石头，如果他捡起一块普通冰冷的石子将它就地扔下，他可能会重复拾起这块石头，会做许多徒劳无益的劳动。对此，他十分清楚和明智。所以，一旦捡到的石子摸起来是冰凉的话，他就扔进大海里。

捡石头，扔石头，就这样重复干了一整天，也没有摸到一块温暖的石头。但是，他似乎并不气馁，依然接着干了一个星期、一个月、一年、三年，但是他还是没有找到点金石。

点金石像一颗希望之星，激发了他无限的热情，使他能继续这样干下去。他捡起一块石子，是凉的，他将它扔进海里；他又去捡起另一颗，还是凉的，他再把它扔进海里。

但是，有一天上午，他捡起了一块石子，而且这块石子是温暖的……

但是，他随手就把它扔进了海里——他已经如此习惯于做扔石子的动作，以致当他真正想要的那一个到来时，他还是把它扔进了海里！

酷评

改掉自己的坏习惯

习惯有好有坏。

一个良好的习惯，可以使你享用终身，帮助你在不知不觉之中从成功走向成功。同样，我们把坏习惯称为陋习，陋习使你丧失成功机会。它是阻碍你成功的障碍，让你扔掉握在手里的机会。因此，请检视一下你生活和工作中的所有习惯，看哪些习惯会成为你成功的障碍，比如睡懒觉、说大话、抽香烟、胆小怕事、不爱运动……然后，试图一项一项改正它们，切勿被坏习惯所束缚。

那么，如何改掉陋习呢？唯一的办法，是养成一个良好的习惯。

比如，你觉得我们说得很精彩，那么，请你鼓一下掌……

好，你注意一下，自己鼓掌的时候，是左手在上，还是右手在上。然后，你反过来鼓掌。是不是不习惯？这需要一个过程。

心理学原理告诉我们，改变一个习惯，至少需要两个星期。改变习惯是一个痛苦的过程，但这样的痛苦我们可以承受，可以制订切实可行的计划，一步一步地向前走，而放任陋习却是没有出路的。

所以，千万不要让陋习毁了我们。

故事 7

星相家

有个焦虑的穷人，因为对生活失去了信心，于是便去找星相家。

星相家说：“在你 40 岁以前，我只看到了贫穷、厄运和失败。”

那人焦急地问：“后来呢？”

星相家装模作样地看看他说：“噢，40 岁以后你就习惯了。”

习惯是最可怕的敌人

这个故事给了我们很多启示。

启示一：天下没有白吃的午餐，成功只能靠自己不断努力进取，改变自我，改变条件。所谓的星相家的预言，其实不会对你的人生有什么好的影响。他说你好，你也许会坐等而不行动；他说你不好，你也许会自暴自弃。

启示二：科学是我们唯一可以相信的东西。科学的特征是可验证、可重复。也就是说，任何人，在任何时候，只要符合设定的条件，就会得到完全相同的结果。而星相家的预言，是无法证实也无法证伪的。

启示三：所谓“命运”，是个人意志的反面对应物。一个人，如果把自己所遭遇的不幸归结为命运，那么，他一定已经丧失了意志。

启示四：习惯是我们内心最可怕的敌人。人生如逆水行舟，不进则退。一个人，如果安于现状，不思进取，那么，他的意志力就会消退，他的进取心就会消失。最终，他就成为习惯的俘虏。

启示五：一切要趁早。一个人40岁以前，肯定要有所成就。否则，要坚持下去，你就要有超乎常人的坚强意志，以及足够的自信。

启示六：要对自己的人生有计划，有目标。不要相信突然的时来运转。人生的计划，应该是有阶段目标的。比如，一年一个小成就，三年就是一个大成就。

故事 8

破窗户

有这样一个实验：

两辆外形完全相同的车，但是其中一辆车的引擎盖和车窗都打开，另一辆则封闭如常，保持汽车原样不动。然后，将两辆车停放在相同的环境里，观察变化。

3 天之后，实验人员统计结果，发现打开的那辆车被人破坏得面目全非，而另一辆车则完好无损。这时候，实验人员又在破坏过的这辆车的窗户上打了一个洞。

一天以后，车上所有的窗户都被人打破，

内部的东西也全部丢失。

这就是著名的“破窗户理论”。其结论可以归结为：既然是坏的东西，让它更破一些也无妨。对于完美的东西，大家都会不由自主地维护它，舍不得破坏；而对于残缺的东西，大家就会去加大其损坏程度。这与道德似乎没有多大关联。

为了验证这一理论，人们又做了另一个实验：

在一条街道上，先是扔了一些生活垃圾。没过几天，这条街道就被铺天盖地的垃圾覆盖，碎纸和塑料袋乱飞。同时，人们把另一条街道打扫得干干净净的，并维护了好几天。这之后，每当街上出现脏物时，总会有人主动把它扔进垃圾箱；如果碰到外人往地上乱扔垃圾，还会有人制止。结果这条街道就越来越干净了。

酷评

优秀是一种习惯

破窗户理论的结论可以归结为：既然是

坏的东西，让它更破一些也无妨。对于完美的东西，大家都会不由自主地维护它，舍不得破坏；而对于残缺的东西，大家就会去加大其损坏程度。就好像没有人会在富丽堂皇的酒店里随地吐痰一样。

有人说：“如果没有成为顶尖的渴望，就不可能创造卓越的成就，那种渴望可能是一个艺术家、运动员、科学家、一个平凡的父母或是一个生意人的抱负。”

如果说优秀是一种习惯，那么平庸也是一

种习惯。我们无法选择出生的年代，也没有办法选择出生的环境，更不能选择生身父母，但是我们可以通过后天的努力，形成正确的人生价值观，养成良好的品质，掌握出众的技能，为自己、家庭、公司、社会创造价值。

习惯是日积月累的结果，思想决定行动，行动决定习惯，习惯决定品德，品德决定命运。所以，我们要变得优秀，从现在起就要把优秀所必需的品行变成一种习惯，使我们的优秀行为习以为常，变成我们的第二天性。

故事 9

习惯人生

有一对父子，他们住在山上，每天都要赶牛车下山卖柴。

每次都是父亲驾车，但是山路陡峭，而且弯道很多。所以儿子也不能闲着，总是在要转弯的时候提醒父亲：“爹，转弯啦！”

一次，父亲病了，在床上休息。儿子一人驾车下山卖柴。

谁知到了弯道，牛儿怎么也不肯转弯。儿子用尽各种方法，无论是下车使劲推，还是用鞭子抽，拿青草喂，牛就是一动不动。

这到底怎么了?

儿子思前想后，终于想起平时的习惯了。

于是，他大声唤道:“爹，转弯啦!”

牛“哞……”的一声回应，居然立刻就转弯了!

酷评

木桶定律

所谓习惯，顾名思义，就是“行为的惯性”。这种“惯性”是摸不着、看不见的，但却具有非常大的能量，很多人都跳不出它的“魔圈”。习惯是一种顽强而巨大的力量，它可以主宰你的人生和命运。

习惯有两种:好习惯和坏习惯。习惯的好与坏，往往影响着人生的成与败。好习惯带来成功，而坏习惯则会给人的命运笼罩上灰色的阴影。只有拥有良好的习惯，才能更好地驾驭生命。而培养好习惯，克服坏习惯，不仅需要方法，更需要坚强的毅力和耐心。

好习惯还能为自身的健康做出“突出贡

献”。如果你心胸宽广、乐观开朗，那么你就不会生气，这样就有利于身体健康。如果你有讲卫生的好习惯，经常洗手洗澡，细菌将无机可乘，疾病会大大减少，你的身体将很健康。

良好习惯对于人的发展究竟有什么意义呢？有一个知名的理论叫木桶定律，它也许可以从某一个角度向我们解释不良习惯对于

人的发展究竟有何意义。木桶定律认为：一只木桶盛水的多少，取决于那块最短的木板，而不取决于最长的木板。人的发展同样如此，人的失败往往由于自己的某种缺陷所致。

莫泊桑曾说过："一件小事可以成全你，也可以败坏你。"生活细节、好的习惯会造就成功的未来。我们为什么不试着让自己成功呢？

成功是一种习惯，失败也是一种习惯。你的习惯无法改变，但可以用好的习惯来替代。成功很简单，只要简单的事情重复做，养成习惯，如此而已。

请养成好习惯，它会使你生命价值提高，让你的人生充实而又有趣。

有人总结了改变人生的十种好习惯：

1. 当一个人生活枯燥的时候，他忘了用心体会是一种习惯。

2. 当一个人觉得人生乏味的时候，他忘了培养幽默是一种习惯。

3. 当一个人浑噩度日的时候，他忘了阅

读好书是一种习惯。

4. 当一个人忙于工作的时候，他忘了安排休息是一种习惯。

5. 当一个人孤傲狂放的时候，他忘了感恩惜福是一种习惯。

6. 当一个人志得意满的时候，他忘了谦和为怀是一种习惯。

7. 当一个人钱不够用的时候，他忘了投资理财是一种习惯。

8. 当一个人工作低迷的时候，他忘了激励自己是一种习惯。

9. 当一个人怀疑自己的时候，他忘了建立自信是一种习惯。

10. 当一个人忽略家人的时候，他忘了爱与关怀是一种习惯。

故事 10

禅师的最后一课

一位著名的禅师即将不久于人世，他的弟子们坐在他的周围，等待着师父告诉他们人生和宇宙的奥秘。

禅师一直默默无语，闭着眼睛。突然他问弟子们："怎么才能除掉野草？"弟子们目瞪口呆，没想到禅师会问这么简单的问题。

一个弟子说："用铲子把杂草全部铲掉！"禅师听完微微一笑。

另一个弟子说："可以一把火将草烧掉！"禅师依然微笑。

第三个弟子说：“把石灰撒在草上就能除掉杂草！”禅师脸上还是那样的微微笑。

第四个弟子说：“他们的方法都不行，那样不能除根的，斩草就要除根，必须把草根挖出来。”

弟子们讲完后，禅师说：“你们讲得都很好，从明天起，你们把这块草地分成几块，按照自己的方法除去地上的杂草，明年的这个时候我们再到这个地方相聚！”

第二年的这个时候，弟子们早早就来到了这里。他们用尽了各种办法都不能铲除杂草，早就已经放弃了这项任务，如今只是为了看看禅师用的什么方法。

禅师那块原来杂草丛生的地已经不见了，取而代之的是金灿灿的庄稼。弟子们顿时领悟到：只有在杂草地里种上庄稼，才是除去杂草的最好方法。

他们围着庄稼地坐下，庄稼已经成熟了，可是禅师却已经仙逝了。这是禅师为他们上的最后一堂课，弟子们无不流下了感激的泪水。

是的，要想除掉旷野里的杂草，只有一种方法，那就是种上庄稼。要想心灵不荒芜，唯一的方法就是修养自己的美德。

酷评

把感悟变成习惯

有许多方法可以去掉坏习惯，可是最好的办法就是培养好习惯。与其花时间去纠正坏习惯，不如去培养好习惯。播下一个行动，你将收获一种习惯；播下一种习惯，你将收获一种性格；播下一种性格，你将收获一种命运。

习惯是所有伟人们的奴仆，也是所有失败者的帮凶。伟人之所以伟大，得益于习惯的鼎力相助；失败者之所以失败，习惯同样责不可卸。木桶定律可以解释不良习惯对于人的发展究竟有何意义：人的失败往往由于自己的某种坏习惯这块短板所致。

习惯的力量是巨大的。一个人的日常活

动，90%都在不断重复原来的动作，在潜意识中转化为程序化的惯性。这些行为都是不用思考的自动运作。这种自动运作的力量，就是习惯的力量。

名人名言

习惯可以是一个使人失去羞耻的魔鬼，也可以做一个天使，对于勉力为善的人，它会用潜移默化的手段，使他弃恶从善。

——莎士比亚

习惯把最敏感的人都锻炼得坚强起来，起初最讨厌的事情，他们后来也就不在乎了。

——马克·吐温

好的习惯愈多，生活愈容易，抵抗引诱

的能力也愈强。

——威廉·詹姆斯

习惯是人类生活最有力的向导。

——休谟

习惯就是习惯，谁也不能将其扔出窗外，只能一步一步地引下楼。

——马克·吐温

习惯和本性一般说来是相互矛盾的。

——柏拉图

习惯——这是德行的秘密。

——费尔巴哈

在儿童时期没有养成思想的习惯，将使他从此以后一生都没有思想的能力。

——卢梭

习惯真是一种顽强而巨大的力量，它可以主宰人生。因此，人自幼就应该通过完美的教育，去建立一种好习惯。

——培根

习惯，重于寒霜，根深蒂固如生命，罩在你身上，压得你喘不过气来。

——华兹华斯

我到哪儿才能找到一个受理智支配，而不是被习惯与冲动所操纵的人呢?

——纪伯伦

世界上没有比习惯更专制的了。

——左拉

习惯的力量比理智更加永恒，更加简便。

——洛克

习惯是社会的巨大飞轮和最可贵的维

护者。

——威廉·詹姆斯

恶习变成人们的笑柄，是对恶习重大的致命打击。

——莫里哀

谁如果养成一种坏习惯，除非到死，永远难改。

——萨迪

习惯就是信念转为习性和思想转变为行动的过程。

——乌申斯基

风俗习惯像透镜一样，没有它，社会理论家什么也看不出来。

——本尼迪克特

伟大的作品不是靠力量，而是靠坚持来

完成的。

——约翰逊

事业常成于坚忍，毁于急躁。

——萨迪

将无法实现之事付诸实现，正是非凡毅力的真正标志。

——茨威格

真正的坚韧是准备遭受各种各样的危险，无论遇到什么灾难，都要屹立不动。

——约翰·洛克

谁想坚持下去，谁就得忍受。

——罗曼·罗兰

所有坚韧不拔的努力迟早会取得报酬的。

——安格尔

要记住：历史上所有伟大的成就，都是由于战胜了看来是不可能的事情而取得的。

——卓别林

坚持正义的事业，称之为坚韧不拔；坚持罪恶之事，就叫作顽固不化。

——斯特恩

历经沧桑的人，是不会轻易气馁的。

——约翰逊

在接近目标时，不要回头。

——普鲁塔克

大自然既然在人间造成不同程度的强弱，也常用破釜沉舟的斗争，使弱者不亚于强者。

——孟德斯鸠

3.

作为决定地位

☞ 打过篮球的人不少，但很少有人会去想一想，为什么篮球架子是现在这个高度？这是一个挑战的高度：不努力肯定不会成功，努力一下就会成功——挑战与机遇并存。

☞ 有人说，尽管今天是残酷的，但明天是光明的。我们却认为：今天很残酷的，明天更残酷，但后天是光明的。然而，绝大多数人都死在明天晚上。

☞ 有想象，才能有作为。我们要不断地逼问自己：5 年之后，我是什么样子？10 年之后，我是什么样子？20 年之后，我是什么样子？

☞ 你觉得一座山高，但如果你登上了另一座更高的高山，你就会觉得原来那座山一点儿也不高；你觉得一项工作苦，但如果你做了另一项更苦的工作，那么，你就会觉得原来那项工作一点儿也不苦。

故事 11

三个工人的不同回答

三个工人在砌一堵墙。有人过来问他们："你们在干什么？"

第一个人没好气地说："没看见吗？砌墙。"

第二个人抬头笑了笑说："我们在盖一栋高楼。"

第三个人边干活边哼着小曲，他满面笑容开心地说："我们正在建设一座新城市。"

10 年后，第一个人依然在砌墙；第二个人坐在办公室里画图纸——他成了工程师；第三个呢，是前两个人的老板。

想象决定未来

面对同样的事情，关键是你怎么看。其中，有没有想象力，往往是决定成败的关键。

年复一年地重复同一种工作，你固然可以做得很熟练，但可怕的是这种重复会变成习惯，进而阻碍心灵，扼杀想象力。这样的人，不可能再有大的作为。

如果说，我们对现实的态度是敬业的话，那么，我们对未来的态度就是想象。

想象决定未来。一个人要想生活幸福，事业成功，就必须培养自己丰富的想象力。这样，我们才能对自己有更美好的规划，也才能更有信心地去前进，去开拓。每一个成功者在最初都会有一个对未来的想象，正是这些想象使他们勇往直前地朝自己的目标前进。

有想象，才能有作为。我们要不断地逼问自己：5 年之后，我是什么样子？10 年之后，我是什么样子？20 年之后，我是什么样子？

故事 12

身高 1.60 米的篮球运动员

在美国纽约，一群孩子围坐在草地上谈论长大以后的理想。

博格斯是其中个子最矮的一个男孩，他说："我长大后要去打 NBA。"

是的，博格斯的个子非常矮小，他的身高只有 1.60 米，这在身高 2 米都嫌矮的 NBA 赛场上，是无法立足的。

博格斯没有因为同伴的嘲笑而放弃努力，他热爱篮球，下决心一定要闯进 NBA。他每天都花更多的时间和精力在篮球场上奔跑，当别的孩子们都躲到有冷气的屋子里吃冰淇淋的时候，他还在球场上挥汗如雨。

博格斯清楚地知道，凭着自己的身高要想进入 NBA 就必须有过人之处。他充分地利用自己矮小的优势，训练自己灵活跑动、迅速转身等技术性的打法。

功夫不负有心人。博格斯成功了，他终于实现了当年立下的誓言，闯进了 NBA。他不仅控球一流、远投精准，甚至在众多高人之中带球上篮也毫无畏惧。他成为夏洛特黄蜂队中表现最杰出、失误最少的后卫之一。

他的名字终于响彻篮坛。

酷评

信心战胜恐惧

故事读罢，我们至少应该有这样的认识：

首先，信心完全是训练出来的。信心不是天生就有的，你所认识的那些能克服忧虑、无论何时何地都泰然自若、充满信心的人，全都是磨炼出来的。

其次，心态决定成败。有人能发挥潜能，能成功，是因为他能始终保持积极的心态，这就是成败的差异。人生是好是坏，不由命运来决定，而是由心态来决定，我们可以用积极的心态看事情，也可以用消极的心态看事情。但积极的心态激发潜能，消极的心态抑制潜能。

最后，恐惧是世上最摧折人心的一种情绪。与它抗争，并接着帮助情况不及自己的人们，从而克服它。有人说："任何人只要去做他所恐惧的事，并持续地做下去，直到有获得成功的纪录做后盾，他便能克服恐惧。"

事实就是如此。你觉得一座山高，但如果你登上了另一座更高的高山，你就会觉得原来那座山一点儿也不高；你觉得一项工作苦，但如果你做了另一项更苦的工作，那么，你就会觉得原来那项工作一点儿也不苦。

故事 13

科学的星光

巴斯德是法国的微生物学家。

他做的事情在常人看来是可笑的，而在他看来却仿佛是上帝的召唤。他要攀登 4 000 多米的高峰，要经历危险的冰河地带，还有可能遇到要命的雪崩，而他要回答的却仅仅是这样一个问题：夏天，为什么肉会臭，饭会馊？

所有聪明的正常人都哈哈大笑：肉臭了，饭馊了，倒掉就是了，何必拿性命去换一个毫无意义的答案！巴斯德也笑了：把馊饭和臭肉倒掉而不问一个为什么，那么，要科学家干什么?

为了回答饭为什么会馊，肉为什么会臭的问题，他已经和法国卢昂博物馆馆长普沙争论了6年。普沙坚定地相信：即使在隔绝空气的条件下，肉、饭也会自然而然地发臭、变馊。但巴斯德却认为：肉、饭的发臭和变馊，是因为受到了空气里微生物的感染，他们两人为此争论不休，直到巴斯德想到了现在这个他为之骄傲的实验方法。

他要到高山上去进行实验，他就这样朝着顶峰攀登着，拄着一根木棍，跟在骡子后面。每登500米，就取出20个瓶子，举过头顶，打开瓶塞，装入空气。当他第100次、第200次做过同样的动作后，他终于登上了勃朗峰顶。他看到了那块标志着山峰高度的碑石：海拔4 807米。

最后，事实证明：巴斯德的观点是正确的。

他走出帐篷，忽然发现，他头上的星星

格外地大、格外地亮，仿佛一伸手就能摘下来。他知道这是个错觉。科学的星光虽然灿烂，但真理却往往是要拿生命来换的。

在他的脑海里构思了一幅画：画面上，一个孩子和一群人在行走着，一个路牌上写着“此路不通!”人们纷纷退回，或另寻他途，只有那个孩子继续朝前走着，义无反顾。

他觉得，他就是那个孩子。所有真正的科学家都像那个孩子。

酷评

追求科学精神和人文精神

由混沌到文明，由弱小到健硕，回顾人类的发展历程，科学精神与人文精神相互交融，共同照亮了人类前进的道路。日常生活司空见惯，科学家的责任就在于解决问题。

我们推崇科学精神，科学精神就是科学观念和敢于坚持这种观念的勇气。它反映一个民族或者一个人的气质、性格和心理，科学精神就是一种探索精神、实证精神、创新

夜幕降临星光
闪月亮高挂梦
已甜晚安之际
道一句梦语
盈盈夜晚安
古尔畫
老潘印信

精神和独立精神。人文思想就是尊重人、关心人、爱护人，是人类发展的方向。人文精神的出现推动了科学思想的产生，而科学的发展进一步推动了人文精神的发展，两者比翼齐飞。

科学思想像一盏明灯，照亮了整个人类社会，科学给人以力量；而人文思想则像一颗明星，指引人类前进的方向。

在人类的精神世界当中，要提倡科学和人文的结合，科学和人文结合，人类的精神世界才更加完整，既有理性，又有感性，从而使人类得到更好的发展。

同样，在实际工作中，我们虽然不必每天都要传播科学上的细节，但我们可以追求科学精神，追求一种严肃认真的科学态度。

我们乐在其中。

故事 14

两只青蛙

一群青蛙在穿越树林时，其中的两只失足落入了一个深坑。

别的青蛙围了上来。大家看了看这个坑的深度，觉得希望渺茫，就对这两只青蛙说，只有死路一条了。

两只青蛙全然不理会同伴们的言谈。相反，它们使出浑身解数试图跳出这囹圄。

青蛙们仍不停地奉劝它们算了，并坚持说他俩只有死路一条。

最后，其中一只青蛙听从了大家的劝告，

放弃了。于是，他掉了下去，死了。而另一只青蛙还竭尽全力地跳着。众青蛙又一次向它大声提醒，奉劝它别再作无谓的努力了，安息吧！

谁知，它跳得更加卖力，终于它跳了出来！

大伙感到很惊奇，于是拉着那只青蛙大声问道："你没听我们的话吗？"

这只青蛙解释道："我的耳朵不好使，我还以为大家一直在鼓励我呢！"

酷评

我的世界我作主

这则小故事，印证了心理学上一条著名的论断"观念—行动—命运"。

具体而言，人的思想、意识、观念左右其行动，乃至最终决定人的命运。

耳背的青蛙听不清朋友们的呼喊。无论是加油打气还是落井下石，所有的一切，它无从知晓。它只能凭空揣摩伙伴们的言语。

所幸它是只乐观的青蛙，虽然身处困境，仍然相信天无绝“蛙”之路。它意志坚定，奋勇向前，终于一鼓作气，跳出了深坑。

光明在前，希望永存。这样的信念不知鼓励了多少逆境中的勇士。我们是否记得这样一句歌词：“纵使希望渺茫，只要你相信，就会有奇迹。”

当你失望落寞的时候，当你万念俱灰的

时候，请你想想远方代表希望的星星之火。只要一点火星，就可以点亮你整个的生命。重要的是，你是否相信自己，是否期待奇迹。

自助者，天助也。命运的权杖握在你的手中。能否排除万难，获得最后的成功，这完全在你。关键时刻，适当的阿Q精神，会起到预想不到的效果。

我们生活在色彩纷呈的世界，耳边充斥着这样那样的声音，与其让糟糕的论断影响你的情绪，不如适时做一个乐天知命的耳背青蛙。

故事 15

驴的哲学

一天，一头驴子不小心掉入了一口枯井，动弹不得。农夫绞尽脑汁，但还是没有办法救出驴子。

好几个小时过去了，农夫决定放弃驴子。他想，反正这头驴子年纪也大了。不过，这口井得填起来，不然驴子还要哀嚎很久，而且以后可能还有别的人或动物会掉进去。埋了驴子，也可以免除它的痛苦。

于是，农夫请了左邻右舍一起埋驴子。大家人手一把铲子，开始将泥土铲进枯井中。

刚开始，这头驴子似乎明白自己的处境，哀嚎得更厉害了。但没想到的是，不多久，驴子就安静下来了。人们惊奇地发现：原来驴子找到了救命的方法！起先，泥土落在驴背上时，驴子条件反射地将泥土抖落。然而不久之后，泥土就在井底堆积起来，甚至能让驴子站稳了！

慢慢地，驴子将它身上的泥土全部抖落下去，然后再站上去。要命的泥土，变成了救命的泥土！

泥土堆着堆着，终于到了一定的高度。

驴子得意地上升到井口，在众人惊讶的表情中快步地跑开了！

酷评

坚持不下去时，唯一办法就是坚持下去

在生命的旅程中，我们难免会陷入“枯井”，各种各样的“泥沙”会倾倒在我们身上。脱困的秘诀就是：抖落泥沙，然后站到上面去！

人生必须渡过逆流，才能走向更高的层次。最重要的是：要永远看得起自己。每一个人都有摊派到各自头上的命运。我们不能选择命运，我们能做的，就是直面命运，笑对挑战，用自己的昂扬对这种不公平的命运进行嘲讽。

困难是人人都会碰到的，谁也无法逃避。面对困难的时候，千万不能放弃。陷入困境的时候，你唯一能选择的就是：永不放弃，坚持到底。更何况，有的时候，只要你再稍稍熬一熬，拼搏一下，成功就到来了。要是在成功即将到来前的一瞬间，你放弃了，那该是多么可惜啊！

所以，坚持不下去的时候，唯一方法就是坚持下去。

有人说，尽管今天是残酷的，但明天是光明的。我们却认为：今天很残酷，明天更残酷，但后天是光明的。然而，绝大多数人都死在明天晚上。

摆脱困境最聪明的办法，是化不利因素

一头蠢驴
即使走遍全世界
仍是一头蠢驴

为有利因素。有这么一个畸形人，他有四只手，除了和正常人一样的那两只手以外，他的胳肢窝里还有两只手。他时常遭受嘲笑和冷落，但是他并没有被逆境所击倒，而是找到了能发挥自己能力的地方，成为了一名排球运动员，不用想也能知道，他的拦网相当厉害！与此相似，另一个三只手的人，去做了橄榄球运动员……这些都是把自己的最不利因素化为了最有利因素，他们战胜了别人，更战胜了自己！

因此，绝境未必是坏事，它往往就是开启成功的那扇门。

名人名言

锲而舍之，朽木不折。锲而不舍，金石可镂。

——荀子

所有坚韧不拔的努力，迟早会取得报酬。

——安格尔

胜利属于大胆的人。

——莫泊桑

勇于进取者，永远长生。

——歌德

神圣的意念属于不屈服的心，一切的幸福归于奋斗的人。

——歌德

每一个心灵只要能尽无论多么微小的努力，他就会从奋斗本身获得高尚的享受。

——穆勒

前进！尽管你摔了跤，你得尽快地站起来。

——果戈理

对于每一个人，他所能选择的奋斗方向是宽广的。

——爱因斯坦

只要我们有解救情况的一丝机会，我们便要奋斗。

——卡耐基

我们应当努力奋斗，有所作为。这样，我们就可以说，我们没有虚度年华，并有可能在时间的沙滩上留下我们的足迹。

——拿破仑

在全力以赴的奋斗中，在人的心中会建立起坚实的信心和信念。

——德田虎雄

我始终不愿抛弃我的奋斗生活，我极端重视由奋斗得来的经验，尤其是战胜困难后所得到的愉快；一个人要先经过困难，然后踏进逆境，才觉得受用、舒适。

——爱迪生

一个人要奋斗，奋斗是有力量的。

——罗曼·罗兰

有的人本领平庸，但做事尽心竭力，他们比那些本领出众但做事敷衍塞责的人强。

——简·奥斯丁

要想奋发，就得作出巨大而又迅速的努力。

——卢梭

凡事欲其成功，必须付出代价——奋斗。

——爱默生

无论做什么事情，只要肯努力奋斗，是没有不成功的。

——牛顿

对乐于苦斗的人来说，苦斗不是憾事，而是乐事。

——托马斯·曼

生活好比橄榄球比赛，原则就是：奋斗冲向底线。

——罗斯福

生活在这个世界的人们是奋起寻觅他们

所需要条件的人们。

——萧伯纳

如果你十分爱惜自己的羽毛，不使它受一点损伤，那么，你将失去两只翅膀，永远不再凌空飞翔。

——雪莱

我们所完成的任何科学工作，都是通过长期考虑、忍耐和勤奋得来的。

——达尔文

凡是天生刚毅的人必有自强不息的能力，也就是生存的本领，挣扎图存的本能。

——马克斯威尔·马尔兹

人在他的历史中表现不出他自己，他在历史中奋斗着露出头角。

——泰戈尔

我们最大的光荣，不在于一次也不失败，而在于每次倒下都能够站起来。

——哥尔斯密

人类的血战前行的历史，正如煤的形成，当时用大量的木材，结果却只是一小块。

——鲁迅

个体生活的法则乃是进步。

——勒鲁

只要持续地努力，不懈地奋斗，就没有征服不了的东西。

——塞涅卡

无愧于有理性的人的生活，必须永远在进取中度过。

——塞缪斯·约翰逊

缺乏进取精神的民族意味着堕落。唯有

开拓和竞争，才能立于不败之地。

——怀特海

在大多数情况下，进步来自进取心。

——塞涅卡

要永远尽你所能，永远不要气馁，永远不要小看自己。

——尼克松

运气喜欢在某些时刻撤退，为的是要你坚持努力把它重新召回。

——蒙森

什么是路？就是从没路的地方践踏出来的，从只有荆棘的地方开辟出来的。

——鲁迅

敢于走前人没有走过的路的拓荒者，永远是不朽的。

——武者小路实笃

4. 财富代表实力

☞ 所罗门说："我年幼无知，不知道应当怎样待人接物……只求您赐给我智慧，我好明察秋毫，辨别是非。"

☞ 他以自己学到的天文及农业知识，预见了来年橄榄的丰收盛景。于是，他以非常低廉的租金租下了全城所有的榨油机，等到橄榄丰收的季节，他再把榨油机高价租给那些急需使用榨油机榨橄榄油的人，因此而大获其利。

☞ 有一首儿歌是这么唱的："摇钱树，两大枝，每枝长着五股叉。摇一摇，开金花，要吃要喝全靠它。这棵树，哪里有？就是我们两只手。"

☞ 我们要追求可持续发展，如果一味暴殄天物，很快，资源用尽，祸及子孙后代。在这方面，我们要考虑的，不仅是以人为本，而且是以环境为本。

故事 16

所罗门祈求智慧

所罗门是大卫和拔示巴的孩子。大卫死后，所罗门做了以色列王。

为了祈求耶和华保佑社稷永固，所罗门去基遍献祭。晚上，耶和华在所罗门的梦中向他显现。耶和华问所罗门："你愿我赐你什么？你可以求。"

所罗门说："你使仆人接续我父王大卫治理您的国以色列，但我年幼无知，不知道应当怎样待人接物。以色列是个大国，百姓多得不可胜数，所以仆人只求您赐给我智慧，我好明察秋毫，辨别是非。不然，谁能来判断那么多的民众呢？”

耶和华听了，非常高兴，对他说：“你不为自己求寿、求富，也不求灭绝你仇敌的性命，单求智慧可以听讼。我就答应你，赐你聪明智慧，甚至你的前人和后人都没人像你那样聪明。你所没有求的，我也要赐给你，就是富足、尊荣，使你在世的日子，列王中没有一个能比你的。你如果效法你的父亲大卫，遵行我的道，谨守我的律例、诫命，我必会使你长寿。”

所罗门醒了，心中大喜。他回到耶路撒冷后，又在约柜前给耶和华献祭，还设宴款待众臣仆。

酷评

才比财更重要

所罗门无疑是一个聪明人。身为一国之王，他懂得治理大国要靠智慧。所以，他认为智慧才是最重要的，也是他最需要的，而

求许多别的东西是不现实的。耶和华认为这个想法是对的。

一项针对中国和美国中小学生最新调查显示，他们在选择自己认为重要的东西时，中国孩子选的是财富和地位，而美国孩子选的是智慧和才能。孩子的想法，在一定程度上反映了一个社会的价值观。我们看到，面对选择，大多数人想要财富，很少有人要智慧。要财富的人是现实的。但是，财富是能用尽的，不是无限的。再多的财富也买不来智慧。而智慧却能决定你的未来，智慧好比源头活水，取之不尽，用之不竭，如同滚雪球，会越滚越多，它能给你带来丰富的经验。一个人一旦拥有了智慧，就会获得其他东西。聪明睿智，可以帮助你创造财富，可以帮助你建立友情，可以帮助你化险为夷。总之，聪明睿智是可以带来一切的，可以使所罗门成为王中之王。

一个社会从选择财富，到选择智慧，或许是由于发展的历程和阶段不同。然而，一个人应该清楚地知道自己最需要的是什么。

故事 17

城市中的榨油机

古希腊有一位名叫泰勒斯的哲学家。

那时候哲学有一项重要内容，就是观察天象。所以，人们看到他总是仰卧在草地上望着天空，到了晚上也不睡觉，人们感到十分不理解。大家都认为他是一个好吃懒做的家伙。

泰勒斯因生活清贫而受到一位商人的嘲笑。为了不让对方因他的贫穷而贬低他的智慧，他决计展示一次做生意的才华。

他以自己学到的天文及农业知识，预见

了来年橄榄的丰收盛景。于是，他以非常低廉的租金租下了全城所有的榨油机。等到橄榄丰收的季节，他再把榨油机高价租给那些急需使用榨油机榨橄榄油的人，因此而大获其利。

从此，再也没有人敢笑话他了。

酷评

知识创造财富

财富代表实力，实力代表尊严。

一般人这样理解这个公式，金钱＝财富＝实力＝尊严。虽然肯定是对的，但狭隘地理解了财富。我们的公式是：尊严＝自信＝实力＝财富。我们要看到，自信就是实力，自信就是尊严。如何获得自信？靠实力。实力有多种形式，财富也有多种形式。金钱是财富，但财富不是只有金钱这一种形式。孔子没有什么金钱，但世世代代都尊孔。很多思想家、文学家大都并不富有，但并不是没有尊严。知识分子有四种形式：政治型、经济型、人文型和技术型，当然还有混合型，而金钱标准只适合用来衡量经济型的知识分子。但是，大多数人的观念里，成功标准只有金钱。这是一种社会现实。

面对一个势利的社会环境，泰勒斯用自己的知识获得了金钱，创造了财富，令人刮目相看。今天，当我们终于明白知识改变命运，知识创造财富的时候，人们不禁会在内心呼喊：我要做的事比赚钱更有意义，知识就是财富。未来社会靠智慧赚钱。在信息高速变化的社会中，个人知识的创新就变得极为重要，比竞争对手学得快，这是最根本的竞争能力。

实际上，从学到知识到学会运用知识创造财富，是一个漫长而艰苦的历程。世上没有免费的午餐，要想把知识转变为财富，就必须进入市场。只有把书本的知识和来自市场的知识相结合，才能化知识为财富，变智慧为利润。

但是，并不是所有的知识都是力量，只

有强势的知识才是力量。研究没有市场前景的知识，那样的知识并不能带来财富。我们要看到，许多基础学科都没有市场前景，也需要有人去研究，而且也没有泰勒斯那样的幸运。投身这样的研究，就是一种奉献。此外，很多人的知识难以变成财富，很大原因就是其知识是固定的和僵化的，没有把知识通过实践提升为能力和智慧。只有不断更新自己的知识，增进获得知识与应用知识的能力，超越自己，方能获得长远发展。

知识经济的时代已经到来，让我们好好把握吧！

故事 18

船上的少年

有个国王和一位波斯少年，同坐在一艘船上。

那孩子从未见过大海，也没经受过乘船的艰难。他一直战战兢兢，哭闹不止，无论怎样安慰，都不能使他平静。国王被他搅得心烦意乱，但毫无办法。

这时，一位老水手走到国王跟前。

水手对国王说：“您若允许，我有办法使他平静。”

水手让人把孩子抛进海里。孩子不会游

泳。他拼命折腾，呛了好几口水。老水手这才派人将他捞了上来。那孩子爬上船后，两手紧抱船舵，坐在一个角落里，一声不吭。

国王觉得水手很有办法，于是问道："这是什么原因呢？"

老水手回答说：

"原先他没有尝过水淹的痛苦，不懂得安全的价值。人们都是这样，只有经历过灾难，才会知道安乐的宝贵。"

酷评

知足常乐

少年不知愁滋味，年少无知多轻狂，懵懂的少年对于人生的困苦毫无体验。等到屡经风浪，回到现实的平地，已然走过了大半人生。

的确，人都是这样，只有经历灾难才知道安乐的宝贵：历经战火的百姓，渴望和平的幸福；饱受饥荒的灾民，懂得粮食的珍贵。

没有经过风浪的少年，当然感觉不到船

上的安适。习惯了安乐生活的我们，是不是也忽略了平和的幸福呢？人们总是对现实不满，常常抱怨自己的生活不尽如人意。一大把的都市抑郁病患者，除了来自外界的压力，更主要的原因，是没能调控好自身的心理素质。并不是每一个初次上船的少年都要等到经历一次风浪，才明白大船的安稳，也不是每一个生活无忧的人要等到尝尽辛酸，才懂得感恩，学会知足。

但是，知足常乐并不意味着满足现状、不思进取。它是人们看待生活的一种方式。只有珍惜当下平实的生活，才有可能开拓美好的人生。保持一种平和的心境是避免躁动情绪的良药，也是我们争取未来更高质量生活的有力后盾。

不要等到劫后余生，才试着品味生活的美。一路到头拥有良好心态，才能欣赏沿途的风景。

故事 19

富豪说钱

有一次，比尔·盖茨和一位朋友一起开车去希尔顿饭店。

到了饭店前，发现停了很多车，车位很紧张，而旁边的贵宾车位却空着不少。朋友建议把车停在那儿。

“噢，这要花 12 美元，可不是个好价钱。”盖茨说。

“我来付。”朋友坚持道。

“那可不是个好主意，他们超值收费。”

在盖茨的坚持下，他们最终还是找了个

普通车位。

盖茨最讨厌物不等值，对应花的钱，他从不小气，看看他这些年为慈善机构捐款的数字就知道了。

同样，著名的百万富翁洛克菲勒，在钱财上非常节俭。他到饭店住宿，从来只开普通房间。侍者不解，说："您儿子每次来都要最好的房间，您为何这样？"

洛克菲勒说："因为他有一个百万富翁的爸爸，而我却没有。"

话是这样说，洛克菲勒在捐资支持教育、卫生等方面却毫不含糊，数以亿计。

酷评

节约本身就是一笔很大的收入

这个世界的资源是有限的。

有人不无幽默地指出，上帝所讲的话，只有一句是人们听从的："生养众多，在地上昌盛繁茂。"现在地球上的人口，已经接近地球所能养活的人口数量的极限。因此，如果

如今事态
万象啥都
拿钱衡量
本想弃书投床
乱世咋成这样

说，以往节约是一种美德，那么，如今节约就不仅仅是美德，它还是一种必需。同时，我们要追求可持续发展，如果一味暴殄天物，很快，资源用尽，祸及子孙后代。在这方面，我们要考虑的，不仅是以人为本，而且是以环境为本。

另外，热爱财富，珍视财富，是获得财富的前提条件。我们看到，节约本身就是一笔很大的收入。节约能源问题，在发达国家尤其突出。美国人均耗费的能源，是发展中国家的 10 倍。2005 年 7 月，美国宣布把夏时制延长两个月，此举可以更多地利用日光，节约更多的电能。其直接效果，是可以每天节约 10 万桶原油。

作为城市人，我们应该好好思考这个问题。

故事 20

贷款一美元

20 世纪 40 年代的一天中午，美国纽约市中心的一家大银行的贷款部，来了一位衣冠楚楚的犹太老太婆。

她将手中漂亮的钱包放在柜台上："我想借些钱。可是，我只借一美元，可以吗?"

"当然可以！不过……"贷款经理微笑着。

"这些是担保，"犹太老太婆很利索地打开皮包，拿出了一大堆票据，"您计算一下，50 万美元，够了吧?""当然，当然！不过，您真的只借一美元吗?"

"是的，但我希望，允许提前还贷，有问题吗？"

"没问题。这是一美元，年息6%，为期一年，可以提前归还。归还时，我们将这些票据还给您。这是合同。"贷款经理虽有疑惑，但人家的票据的确都是真的，而且显然没有违反规定，所以他还是熟练地按规程办着手续。

"谢谢！"犹太老太婆在合同上签字后，接过一美元，转身就走。

"等等，请等一等！"

"还有什么事吗？"

"我实在不明白，您担保的票据值那么多的钱，为什么只借一美元呢？即使您要借个三四十万，我们也是挺乐意的……"

"噢……是这样的，我必须找个保险的地方存放这些票据，而租个保险箱又得花不少费用。放在您这儿既安全，又能随时取用，一年只要6美分，实在是划算。"

所有的人都呆在那里，可是他们的脑袋

却活跃了起来。

酷评

你不理财，财不理你

“你不理财，财不理你。”这条家喻户晓的宣传语，俨然成为理财一族的行话。大家都意识到了理财的重要性——要想让财来“理”你，必须主动去“理财”。

谁都知道，天上是不会自动掉馅饼的。而那个怀揣着鸡蛋，却在做着发财梦的故事，除了孵蛋、养鸡，一步步创业，否则根本无

法变成现实。

理财是平衡的艺术，在激进与稳健、收益与风险、开源与节流等中间找到一个最佳结合点。会赚钱，会理财，你就能享受两种快乐。

当然，你如果去理财了，但思路、方法不对，依然无法实现致富的目的。或欲速不达，或风险太大，或不懂得坚持，或决策失误，最后只能是前功尽弃，计划落空。正确的结论是，要让财理你，只有去正确理财。而正确理财，是把鸡蛋放进不同的篮子。

理财是一生一世，而非一朝一夕。

名人名言

财富并不是高尚品质的明证；贫穷也不是缺乏道德的明证。

——托马斯·潘恩

如果我们能支配我们的财富，我们就会富裕而自由；如果我们的财富支配了我们，我们就会真正地贫穷。

——埃德蒙·伯克

财宝如火，你认为它是最有用的仆人，但转瞬之间他就摇身变成可怕的主人。

——卡莱尔

对财产先入为主的观念，比其他事更能阻止人们过自由而高尚的生活。

——罗素

财富掌握在意志薄弱、缺乏自制、缺乏理性的人手中，就会成为一种诱惑和一个陷阱。

——斯迈尔斯

财富并不是永久的朋友，但朋友却是永久的财富。

——列夫·托尔斯泰

财富必须在快乐中证明自身。

——桑塔亚那

适可而止是最大的财富。

——豪厄尔

财产并不能创造人类道德价值和智能价

值，它对平庸的人只会成为堕落的媒介，但如果掌握在坚定正确的人手中，就会成为有力的千斤顶。

——莫泊桑

人们所努力追求的庸俗的目标——财产、虚荣、奢侈的生活——我总觉得都是应该鄙视的。

——爱因斯坦

人们求财富一半是为了满足生活所需，一半是为了满足生活恣情享乐。

——西塞罗

蔑视财富的人相当多，不过，懂得施舍财富的却无一人。

——罗休夫柯

恩赐的东西是不牢靠的，凡是恩赐的东西，它都可能随时被恩赐者收回。

——大仲马

道德和才艺是远胜于富贵的资产。

——莎士比亚

财富只有当它为人的幸福服务时，它才算作财富。

——苏霍姆林斯基

消除贫困的时候，我们会失去自己的财富。而拥有这笔财富，我们却会失去多少善良、多少美、多少力量啊。

——泰戈尔

贫困固然不方便，但过富也不一定是好事，必须依靠自己的力量，谋生求活。

——居里夫人

金钱有使卑下的人身败名裂，而使高尚的人胆壮心雄。

——林语堂

钱财并不属于拥有它的人，而只属于享用它的人。

——富兰克林

财富要把你下到地狱里，比贫穷还要厉害不止十倍，财富连你的肉体都拯救不了。

——萧伯纳

通过辛勤工作获得财富才是人生的大快事。

——巴尔扎克

在大多数人中间，财富主要用于炫耀。

——亚当·斯密

男人的生存价值在于抱负。

——奥勒留

抱负永远是一种欢乐，是如地产一般可靠的财产。

——史蒂文森

我饮的是抱负酒，服的是幻想药，所以我会永远朝气蓬勃。

——高尔斯华绥

有远大抱负的人不可忽视眼前的工作。

——欧里庇得斯

我的抱负是我唯有的朋友。

——朗费罗

品行是一个人的内在，名誉是一个人的外貌。

——莎士比亚

该得到的荣誉却未得到，比不该得到的荣誉而得到要好得多。

——马克·吐温

荣誉就像河流：轻浮和空虚的浮在河面上，沉重的和厚实的荣誉沉在河底。

——培根

荣誉不能寻找，任何追求荣誉的做法都是徒劳的。

——歌德

荣誉在于劳动的双手。

——达·芬奇

通向荣誉的路上并不铺满鲜花。

——但丁

还有比生命更重大的，那就是荣誉。

——席勒

5.

创新 开辟蓝海

☞ 爱因斯坦认为：“想象力比知识更重要，因为知识是有限的，而想象力概括着世界上的一切，推动着进步，并且是知识进化的源泉。”

☞ 人生离不开想象。没有想象的人生，是灰色的人生。展开你想象的翅膀，飞向五彩的人生！

☞ 伏羲看见蜘蛛结网，茅塞顿开。他跑到山上找了一些葛藤来当绳子，像蜘蛛结网那样，把它们编成一张粗糙的网，然后又砍了两根木棍做成个十字架绑到网上，又拿了一根长棍绑到十字架的中间，网就做好了。

☞ 创意并非难事，最难的是过程中有时要否定自己，否定从前的经验。创意，是一种人生态度。

故事21

释放你的想象力

有一个小村子，大家都以种土豆、卖土豆为生。

为了卖上好价钱，村子里的人都将土豆分为上、下两等，大土豆就是上等品，小土豆就是下等品。每家每户都在天还没亮的时候，就到地里去收土豆；然后将所有的土豆按大小分好，分别装在不同的袋子里；接着赶在镇上的人开始逛早市之前，到市场里去占个好位子去卖。只有老王一个人不慌不忙。他从来不分拣土豆，而是直接把土豆装进袋子里运走。大家都觉得奇怪。

原来，老王想到平时筛米的时候：大簸箕不停抖动，让碎米从簸箕的缝隙中掉下去，剩下的就是好米。那么，在运输土豆到镇上去的时候，如果改走山路的话，土豆就能在颠簸中自然地分开了。于是，老王载着装满土豆的袋子在山路上走，这样一路下来，车子不断颠簸，小的土豆就落到袋子的最底部，而大的则全都留在了上面。到了市场，只要将土豆顺着倒出来就行了。

因此，老王的土豆总是最早上市，因此最新鲜，价格也就卖得格外好。

酷评

想象力比知识更重要

首先，想象力比知识更重要。

老王就是通过他丰富的想象力，让自己赚到比同村人更多的钱。在创新的过程中，物质和知识的贫乏并不可怕，可怕的是想象力的贫乏。

“一打鼓，二拜年”，很多事情是可以顺便做的。山路颠簸，本不是什么好事，但老王利用颠簸，反而顺便把土豆分好了，这就是一种想象力，也是一种懂得充分利用资源和时间的能力。事实上，人们的一切发明与创造都源自于想象力。充分开展你的想象力，才能有与众不同的想法和更多的收获。

爱因斯坦说：“提出一个问题往往比解决一个问题更重要，因为解决问题也许仅是一个数学上或实验上的技能而已。而提出新的问题、新的可能性，从新的角度去看旧的问题，却都要有创造性的想象力，而且标志着科学的真正进步。”他认为：“想象力比知识更重要，因为知识是有限的，而想象力概括着世界上的一切，推动着进步，并且是知识进化的源泉。”

其次，要学一点系统论。故事中的老王肯定没有学过系统论，但他却自觉地用系统论思想指导农业生产实践。往往一位农民自发的朴素思想，会蕴含很多深刻的哲理、丰富的生活经验及许多人生智慧。所以，不要小看身边不起眼的“老王”，很多时候，我们也能从他们身上学到很多很多……

最后，让思想冲破牢笼。一个人的思想在没有禁锢、没有限制的情况下，是多么自由奔放、充满生命的活力！有这样一个很有趣的故事：

老师问同学，树上有10只鸟，开枪打死一只，还剩几只？这是一个传统的脑筋急转弯题目，不够聪明的人会老老实实地回答“还剩9只”，聪明人会回答“一只不剩”。但是，有个孩子却是这样的反应：

“是无声手枪吗？”

“不是。”

“枪声有多大？”

“80分贝至100分贝。”

“在这个城市里打鸟犯不犯法？”

“不犯。”

“您确定那只鸟真的被打死啦？”

“确定。”老师已经不耐烦了。

“OK，树上的鸟里有没有聋子？”

“没有。”

“有没有关在笼子里的？”

“没有。”

“边上还有没有其他的树，树上还有没有其他的鸟？”

“没有。”

“有没有残疾的或饿得飞不动的鸟？”

“没有。”

“算不算怀孕的鸟肚子里的小鸟？”

又问了十来个问题以后，学生满怀信心地说：“如果您的回答没有骗人，打死的鸟要是挂在树上没掉下来，那么就剩一只，如果掉下来，就一只不剩。”

他还没说完，习惯于标准答案的老师已经晕倒了！

故事 22

买白鼠的账单

一个建筑公司的经理忽然收到一份购买两只小白鼠的账单，不由好生奇怪。得知这两只老鼠是他的一个部下买的，他就把那部下叫来，问他为什么要买两只小白鼠？

部下答道："上星期我们公司去修的那所房子，要安装新电线。我们要把电线穿过一个 10 米长但直径只有 2.5 厘米的管道，而且管道是砌在砖石里，并且转了 4 个弯。我们当中谁也想不出怎么让电线穿过去，最后我想了一个好主意。我到一家商店买来两只小白鼠，一公一母。然后，我把一根线绑在公鼠身上，并把它放到管子的一端。另一名工作人员则把那只母鼠放到管子的另一端，逗它吱吱叫。公鼠听到母鼠的叫声，便沿着管子跑去救它。公鼠沿着管子跑，身后的那根线也被拖着跑。我把电线拴在线上，小公鼠就拉着线和电线跑过了整个管道。”

酷评

展开你想象的翅膀

想象力是科学的一种神秘附属物。的确，科学是最讲究证据的，但是，科学的每一步发展，都离不开想象。牛顿通过一只落地的苹果发现了万有引力，并创立了牛顿力学；牛顿力学很伟大，但是爱因斯坦又在此基础上提出了相对论。可以说，没有想象，就没有科学。

想象力更是艺术的基础。毕加索说：“每个孩子都是艺术家，问题在于你长大成人之后，是否能够继续保持艺术家的灵性。”

人生离不开想象。没有想象的人生，是灰色的人生。在人生旅途上，几十年如一日的勤勤恳恳和默默无闻，固然令人肃然起敬；但一日千里的想象，也不失为一种潇洒。

展开你想象的翅膀，飞向五彩的人生！

故事23

金龟子的伟绩

一次，有个聪明人无辜被捕入狱。一连数月，他被囚禁在一座石塔的最高层，全无逃脱的希望。

一天夜里，他站在窗前向外张望，发现妻子正站在石塔脚下悲伤地哭泣。

“别哭，”聪明人低声对妻子说，“听我说，回家找一只金龟子、一点黄油、一段丝线、一段细绳和一段粗绳来，这样便可救我出狱。”

妻子回家找来了丈夫所要的一切。

这时丈夫说道："在金龟子的头上涂点黄油，把丝线系在它的腰上，然后把金龟子放在墙上，让它的头冲着我的窗口。"

妻子按丈夫的吩咐做了，金龟子以为黄油在它的前方，便径直向墙上爬去。

丈夫急切地等待在窗口，当金龟子爬近时，他一把将它抓起，从它身上解下了丝线。与此同时，妻子将细绳系在丝线的另一端上。当丈夫用丝线将细绳拉上时，妻子又将粗绳系在细绳的另一端。就这样，丈夫拉上粗绳，将其一端固定在塔内，然后顺着粗绳滑到了地面。

妻子又惊又喜：金龟子这样小的东西，竟然也能完成一个伟大的奇迹。

酷评

防微杜渐

聪明的主人公真是创新高手，借用一只小小的昆虫重获自由。看似毫不起眼的金龟子竟能起这么大的作用，看来我们不得不重视那些平凡微小的事物。

在这个故事中，金龟子这样的小东西，充当了一回正义的勇士。我们对如此弱小的力量发出赞叹感慨的同时，有没有想到：正是这些容易让人忽视的“盲点”，成了不少重大事故的隐患。

有一部有关飞机失事的纪录片：一架满载乘客的飞机在飞行途中不幸坠毁，机上无一人生还。飞机坠毁后，调查人员捡获机上的黑匣子。通过分析其中纪录的资料，并对寻获后的飞机残骸进行缜密地勘查，终于发现了飞机失事的真正原因。令人感到扼腕痛惜的是，这么大一起事故竟是由于一张透明胶带堵住了飞机测定空气压力的气孔。

2003 年 2 月 1 日，美国哥伦比亚号航天飞机在完成所有预定任务返回地球的最后 16 分钟，由于一块隔热泡沫的脱落，竟使整个航天飞机在空中爆炸解体。

“千里长堤，毁于蚁穴。”微小的事物像一只藏于黑暗中窥探我们的怪兽，总是在我们不经意中撩出它们的尖牙。看看吧，一张轻薄透明的玻璃胶带，一块小小的泡沫，就酿成如此巨大的灾难。

有时候，现实就是那么残酷。

故事 24

走私犯

一个形迹可疑的人开车来到边境，哨兵迎了上去。哨兵在检查汽车行李箱时，惊奇地发现了车厢接缝处有一个鼓得紧绷绷的大口袋。

“里面装的是什么？”他问道。

“土。”司机答道。

“把袋子拿出来，”哨兵命令道，“我要检查。”

那人顺从地把口袋搬了出来。确实，口袋里除了土以外，别无他物。哨兵很不情愿地让他通过了。

一周后，那人又来了，哨兵再次检查了车厢。

“这次袋子里装的是什么？”他问道。

“土，又运了一些土。”那人答道。

哨兵不相信，对那些袋子又进行了检查，结果发现，除了土以外，仍旧一无所获。

同样的事情每周重演一次，一共持续了六个月。

最后，哨兵被弄得灰心丧气，干脆辞职去当了酒吧招待。有天夜里，那个形迹可疑的人碰巧途经酒吧，下车喝酒。那位从前的哨兵急忙迎上前去对他说：“老兄，老兄，你要是能帮我一个忙，今晚的酒归我请客。告诉我，那段时间你到底在走私什么东西？”

那人俯身过来，凑近侍者的耳朵：“汽车。”

酷评

克服思维盲点

俗话说，“不到黄河不死心”“不见棺材不

落泪”，这也许可以理解成一种执着，但有时却是苦涩的悲剧。

当失败一次次袭来，我们只知道一味承受，从来不去想想为什么失败；连续两次在同一个地方摔倒，我们的反应仅仅是希望下次不要跌倒，根本不管是什么让我们跌倒。这不是悲剧是什么？

思考是人类前行的发动机，只有不断思考，不断总结，我们才可能很骄傲地活在这个世界上。

“一叶障目，不见泰山”，人们因为自己思维习惯、知识背景的局限，在思维上产生了很多盲点，故事中的这个走私犯就利用了哨兵的思维盲点。强大的思维定势使得人们坚信自己的判断，根本不愿意去作哪怕一丁点的改变，那是很危险的。

执着固然值得欣赏，但不知变通的执着就是固执。固执会蒙蔽我们的良知和判断，固执会将我们引向自我封闭的万丈深渊。

故事 25

伏羲与渔网

古时候有一位圣王，名叫伏羲，人首蛇身，聪慧善思。

传说那时的人们不识五谷，不知耕种，一年到头只能靠捕捉野物为生。打得少，就吃得少，打不到，就饿肚皮。吃饭成了大问题。伏羲看到人们经常饿肚子，心里很难过。

有一次，他来到河边，突然看到一条又大又肥的鲤鱼蹦出了水面，禁不住想："如果把这些鱼捉来吃，人们就不会再挨饿了。"

于是，伏羲就跳进河里去捉鱼，可是鱼

儿游得很快，徒手捉鱼，一天弄不到几条，还累得腰酸背痛。

第二天，伏羲躺在一棵树下休息，抬头一看，正好发现在两个树枝间，有一只蜘蛛在结网。只见它左一道线，右一道线，一会儿就把一个圆圆的蛛网结好了，然后蜘蛛就跑到角落里去躲了起来。过了一会儿，飞过的蚊子、苍蝇都被网住了，蜘蛛这时才不慌不忙地从角落里爬出来饱餐一顿。

伏羲看见蜘蛛结网，茅塞顿开。他跑到山上找了一些葛藤来当绳子，像蜘蛛结网那样，把它们编成一张粗糙的网，然后又砍了两根木棍做成个十字架绑到网上，又拿了一根长棍绑到十字架的中间，网就做好了。

他拿着网来到河边往河里一放，手握长棍在岸边静静等候。隔了一会儿，他把网往上一拉，果然网里有很多活蹦乱跳的鱼。伏羲一看这个方法大获成功，非常高兴，于是就把结网的方法教授给了百姓。

从此以后，人们都知道用网来打鱼了，

吃的再也不缺了，这个方法一直流传到了今天。

酷评

发明创造源于生活

人类的智慧体现在不断的发明创造中，人类的历史就是一部发明创造史。

发明创造的目的是为了让我们的生活更幸福；发明创造的动力，来源于我们的生活需要。最初的发明创造，往往是从大自然中获得启示，用今天的话来说是仿生学。比如这则故事里的渔网，就是农业社会中的仿生学。当今高科技社会就更不乏这样的发明创造了。比如因为看见蜻蜓能在天空中直上直下地飞行，我们发明了直升机；因为发现蝙蝠能在黑夜里毫无困难地绕开障碍，我们设计出了超声波探测仪；根据螳螂的前臂，我们有了镰刀；根据苍蝇的特性，我们有了气味探测器……

古往今来，无论人类社会怎么变革，这

种由生存需要出发的发明创造一直在推动着我们的文明不断向前发展，而效仿自然也一直是最有效的方法。不论你是采用“移植法”“做加法”“做减法”，还是其他各种方法，关键在于不能违背自然的法则。

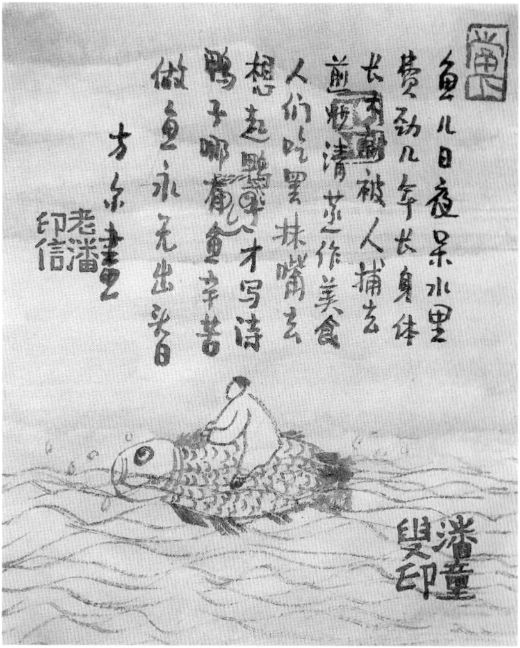

名人名言

不断变革创新，就会充满青春活力；否则，就可能会变得僵化。

——歌德

独辟蹊径才能创造出伟大的业绩，在街道上挤来挤去不会有所作为。

——布莱克

人类的创新之举是极其困难的，因此便把已有的形式视为神圣的遗产。

——蒙森

想出新办法的人在他的办法没有成功以前，人家总说他异想天开。

——马克·吐温

异想天开给生活增加了一分不平凡的色彩，这是每个青年和善感的人所必需的。

——巴乌斯托夫斯基

对于一个艺术家来说，如果能够打破常规，完全自由地进行创作，其成就往往是惊人的。

——卓别林

如果你要成功，你应该朝着新的道路前进，不要跟随被踩烂了的成功之路。

——洛克菲勒

能成功地提出问题，就是迈出了创新的第一步。

——李政道

若无某种大胆放肆的猜想，一般是不可能有知识的进展的。

——爱因斯坦

创造力是人类最变通的工具，创造机会和创造性问题比比皆是，关键是我们能否学会使用这一工具，能否发现这机会和问题。

——罗伯特·沃尔森

中国留学生学习成绩，往往比一起学习的美国学生好得多，然而十年以后，科研成果却比人家少得多，原因就在于美国学生思维活跃，动手能力和创造精神强。

——杨振宁

在科学上，每一条道路都应该走一走。发现一条走不通的道路，就是对科学的一大贡献。

——爱因斯坦

创新是科学永恒的生命力。

——阿西莫夫

既然像螃蟹这样的东西，人们都很爱吃，那么蜘蛛也一定有人吃过，只不过后来知道不好吃了，但是第一个吃螃蟹的人一定是个勇士。

——鲁迅

在自然科学中，创立方法，研究某种重要的实验条件，往往要比发现个别事实更有价值。

——巴甫洛夫

在科学上，每一条道路都应该走一走。发现一条走不通的道路，就是对于科学的一大贡献。

——爱因斯坦

创新是一种不断重新思考的勇气。

——乔布斯

不要害怕失败，害怕的应该是停止创新。

——爱迪生

创新是突破传统的关键，它推动着社会的进步。

——克林顿

创新是颠覆现状的力量，它改变世界的方式。

——扎克伯格

创新不是在别人的轨道上行驶，而是开辟自己的道路。

——杰夫·贝索斯

创新是不断追问为什么的勇气，是永不满足的精神。

——乔纳森·伊夫

科学研究工作，尤其富于创造性的意义，尤其是要依靠自力更生。当然，自力更生并不等于封锁自己。

——李四光

蜜蜂则采取一种中间的道路，它从花园和田野里面的花采集材料，但是用它自己的一种力量来改变和消化这种材料。

——培根

在科学研究中，是允许创造任何假说的，而且，如果它说明了大量的、独立的各类事实，它就上升到富有根据的学说的等级。

——达尔文

一个具有天才的禀赋的人，绝不遵循常人的思维途径。

——司汤达

大凡实际接触过科学研究的人都知道，不肯超越事实的人很少会有成就。

——赫胥黎

我们从失败中学到的东西，要比在成功中学到的东西多得多。

——斯迈尔斯

如果试图改变一些东西，首先应该接受许多东西。

——萨特

同是不满于现状，但打破现状的手段却不同：一是革新，一是复古。

——鲁迅

非经自己努力所得的创新，就不是真正的创新。

——松下幸之助

有了精神的实验和观测作为研究的依据，想象力便成为自然科学理论的设计师。

——廷德尔

作出重大发明创造的年轻人，大多是敢于向千年不变的戒规、定律挑战的人，他们做出了大师们认为不可能的事情来，让世人大吃一惊。

——费尔马

6.

细节决定成败

☞ 1979年12月，美国科学家洛伦兹在华盛顿的美国科学促进会的一次讲演中提出：一只蝴蝶在巴西扇动翅膀，有可能会在美国的得克萨斯州引起一场龙卷风。

☞ 米开朗琪罗充满敬意地道出了他获得成功的一个秘诀，那就是：汲取别人的教训，以极大的认真态度，去处理好手头的每一个细节。

☞ 事实上，许多看似微不足道的小事，都是成功金字塔上的点滴累积。塔上的每一块砖都要有百分之百的诚意和投入。

☞ 人生有许多内容：崇高与卑劣，坚强与软弱，欢乐与哀怨，幸福与痛苦；人生有许多道路：宽广或狭小，平坦或崎岖；人生有许多结果：成功与失败，天堂与地狱。但正是细节，决定了一生的命运。

故事 26

一个铁钉和一个国家

英国国王理查三世准备与亨利·都铎（后亨利七世）决一死战，这场战斗将决定谁来统治英国。战斗开始前的一天早上，理查三世派一个马夫备好自己最喜欢的战马。

“快点给它钉掌，”马夫对铁匠说，“国王希望骑着它打头阵。”

“你得等等，”铁匠回答，“前几天给所有的战马都钉了掌，铁片没有了。”

“我等不及了。”马夫不耐烦地叫道。

铁匠埋头干活，从一根铁条上弄下四个

马掌，把它们砸平、整形，固定在马蹄上，然后开始钉钉子。钉了三个掌后，他发现没有钉子来钉第四个掌了。

“我缺几个钉子，”他说，“需要点儿时间砸两个。”

“我告诉过你我等不及了。”马夫急切地说。

“我能把马掌钉上，但是不能像其他几个那么牢固。”

“能不能挂住？”马夫问。

“应该能，”铁匠回答，“但我没把握。”

“好吧，就这样，”马夫叫道，“快点，要不然国王会怪罪的。”

两军交上了锋，理查三世冲锋陷阵，鞭策士兵迎战敌人。突然，一只马掌掉了，战马跌倒在地，理查三世也被掀翻在地上。受惊的马跳起来逃走了，国王的士兵也纷纷转身撤退，亨利·都铎的军队包围了上来。

理查三世在空中挥舞宝剑，大喊道：“马！一匹马，我的国家倾覆就因为这一匹马。”

于是，从那时起人们传唱着这样一首歌谣：

失了一颗铁钉，坏了一只马蹄铁；
坏了一只马蹄铁，折了一匹战马；
折了一匹战马，损了一位国王；
损了一位国王，输了一场战斗；
输了一场战斗，亡了一个帝国。

酷评

小事不可马虎

1979年12月，美国科学家洛伦兹在华盛顿的美国科学促进会的一次讲演中提出：一只蝴蝶在巴西扇动翅膀，有可能会在美国的得克萨斯州引起一场龙卷风。

“蝴蝶效应”之所以令人着迷、令人激动、发人深省，不但在于其大胆的想象力和迷人的美学色彩，更在于其深刻的科学内涵和内在的哲学魅力。

从科学的角度来看，“蝴蝶效应”反映了混沌运动的一个重要特征：系统的长期行为对初始条件的敏感依赖性。经典动力学的传统观点认为：系统的长期行为对初始条件是不敏感的，初始条件的微小变化对未来状态所造成的差别也是很微小的。可混沌理论向传统观点提出了挑战。混沌理论认为：在混沌系统中，初始条件的十分微小的变化经过不断放大，对其未来状态会造成极其巨大的差别。

马蹄铁上一个钉子是否会丢失，本是初始条件的十分微小的变化，但其“长期”效应却是一个帝国存与亡的根本差别。这就是军事和政治领域中的“蝴蝶效应”。这看上去有点不可思议，但是确实存在。

所以，小的错误可能导致严重的失败。一些看似极微小的事情，却有可能造成大系统的分崩离析。

我们一定要防微杜渐，小事不可马虎。

故事 27

认真的米开朗琪罗

米开朗琪罗是人类历史上杰出的艺术大师，他的工作以速度慢著称，无论雕刻或是绘画，总是花许多时间在那里沉思、推敲、琢磨，力求作品的完美。

一次，一位友人正好在米开朗琪罗工作的时候来拜访他。当时，他正为一个雕像做最后的修饰，看着他专注的神情，友人实在不忍心打扰，于是便走了。

然而过了一段日子，当友人再度拜访，看见他仍在修饰那尊雕像。

友人忍不住责备他说："我以为你工作很忙，上次来拜访没有打扰你，没想到你的工作一点都没有进展，你动作也太慢了。"

米开朗琪罗这才意识到友人的来访，他拍拍手上的泥土，转过身对友人说："整修雕像需要花许多时间，我发现眼睛还不够有神、肤色还不够美丽、局部的肌肉还不够有力，为什么要停止呢？为什么不继续让他们更完美呢？"

友人顿时明白了，赞叹地说："这些虽然都只是一些小细节，不过能像你这样，把所有的小细节都处理妥当，雕像就臻于完美了。"

酷评

重视每一个细节

米开朗琪罗在艺术上的成就，与他对细节的追求是分不开的。

关于他的细致认真，还有这样一个故事：

一位雕塑家得到一块质地非常精美的大

理石，他觉得非常适合雕刻一个人像。于是，他拿起凿子，不知是因为紧张还是力量过重，只那么一凿，就敲下一大块碎屑。雕刻家立即停了下来，经过三天思索，他决定放弃构思好的雕塑，因为他意识到自己难以驾驭这块宝贵的材料。

后来，他把这块大理石赠送给雕塑家米开朗琪罗。米开朗琪罗用这块大理石雕刻出了旷世杰作——大卫像。细心的观赏者指着大卫背上的一道明显的伤痕，为其不能百分之百的完美而略感惋惜，并慨叹先前……的那位雕塑家有些冒失。

米开朗琪罗纠正道："那位先生已经相当慎重了，如果他冒失的话，这块特别的材料早就不复存在了，而我的大卫像也就无从产生了。我要感谢他难得的认真，他的雕刻和放弃都是极其认真的。另外，我还要感谢他留下的那块伤痕，它无时不在提醒着我，让我的每一刀每一凿都千百倍地细心，不能有丝毫的疏忽大意。"

米开朗琪罗充满敬意地道出了他获得成功的一个秘诀，那就是：汲取别人的教训，以极大的认真态度，去处理好手头的每一个细节。

故事 28

喝厕所水的女大臣

日本前任邮政大臣叫野田圣子。她在担任这一职务时年仅 37 岁，是内阁最年轻的阁员，也是当时唯一的女性。

谁能想到，她的生活道路，是从喝厕所水开始的！

野田圣子刚参加工作时，曾在一家酒店当“白领”。职业培训期间，她负责清洁厕所，要每天把马桶擦得光亮如新。

圣子从来没有干过这种脏活，一伸手下去就恶心得几乎想呕吐。

但是有一天，一位与她一起干活的前辈擦完马桶后，居然盛了满满一杯厕所水一饮而尽，意在向她证明，他清洁过的马桶干净得连水都能喝。

这件事对圣子教育极深。她意识到，没有极端认真的态度，就没有资格肩负起任何社会责任。

于是，她下定决心："就算是一辈子洗厕所，也要当一个洗厕所最出色的人。"

在结束培训的最后一天，她擦完马桶后照样盛了一杯厕所水喝下。这一杯水，成为她日后走向成功的精神动力。

酷评

小事是成功的基础

法国作家夏尔说："为了换取灿烂的光华，你必须去吹动那些微弱的火花。"事实上，许多看似微不足道的小事，都是成功金字塔上的点滴累积。塔上的每一块砖都要有百分之百的诚意和投入。耕耘贵在脚踏实地，绝大多数人的成功都建立在务实的基础上。

俗语说得好："一口吃不出个胖子来。"若是妄想所谓的平步青云、一步登天，没有一分一毫的辛苦实践，又如何成就出日后的成功？想要立志有所为，就应该一步一个脚印，踏踏实实地前行。无论你是要成为企业名人或是学者专家，甚至美国总统，你都要从最初的一点一滴开始做起。你可以不顾他人的嘲笑保留自己的宏图大志，却不能轻视

眼前的小事。

世事无绝对。谁又敢断定，自己此刻从事的平凡劳作，不能成为将来的成功契机？美国前国务卿鲍威尔还是一个勤杂工的时候，未必能够料想到今后的成功。但他仍旧坚持自己的信念，无论他所做的工作在外人看来多么不起眼，他始终用心卖力地干活。这印证了清末名臣曾国藩的一句名言："坚其志，苦其心，劳其力，则事无大小，必有所成。"

故事 29

狗猛酒酸

《韩非子》里有这么一个故事：

宋国有个卖酒的人，酿制的酒香味醇厚，做生意诚实公平，待客人殷勤周到，他总是将店堂打扫得干干净净，将酒壶、酒坛、酒杯之类的器皿收拾得清清爽爽，而且还在门外高高地挂了一面长长的酒幌子，上书“顶风香十里”几个大字。

可是，不知道为什么，酒就是卖不出去。时间一长，酒都变酸了。

卖酒的人很是不解，就去请教一位长者。

这位长者想了一想，问他："你家的狗是不是很凶？"

"狗是很凶，"他说，"可是这和我卖酒有什么关系啊？我的酒那么好。"

长者接着说："酒虽然好，可人家怕你的狗啊。人们怕被狗咬，谁还敢来买你的酒啊？你家的酒就只好放在家里等着发酸变质了。"

酷评

关注细节

细节至关重要，每个细节都是人生的一个节点。

很多事情往往就坏在人们不经意的小环节上。战略决定命运，细节决定成败。这似乎已不成为什么特殊的名言，我们对那些战略性的"大"的东西比较关注，却往往忽略在生存与发展中日积月累的那些"小"的东西。

人生有许多内容：崇高与卑劣，坚强与

螳臂挡车真可笑
自不量力太荒唐
纵然力大能扛鼎
亦是螳螂一独行
锐利双臂似刀剑
舞动之间无畏惧
欲与天公试比高
却道英雄出少年
螳臂虽强终无用一触即溃如
梦幻人生在世需自量莫学
螳臂挡车范
老潘印信

软弱，欢乐与哀怨，幸福与痛苦；人生有许多道路：宽广或狭小，平坦或崎岖；人生有许多结果：成功与失败，天堂与地狱。而决定这一切的，也许是几句不经意的话，也许是一个很小的事件，也许仅仅是一个动作、一个行为，但正是生活中这些不起眼的细节，决定了一生的命运。

日本没有像美国和欧洲各国拥有那么多诺贝尔奖获得者，也从未领导过科技革命，从电到蒸汽机，从纳米到基因，日本从来没有给世界带来过科技上的惊喜和辉煌，但日本又毫无疑问是一个经济强国和经济大国。这是因为细节的创造发明是日本人的决胜点，比如他们会想到把针眼从圆形改良为长椭圆形以方便老年人。

故事 30

滴水和尚

有一天，仪山禅师在洗澡的时候，因为水太热，就叫弟子提桶冷水来加。有一个弟子奉命提了水来，将热水加凉了，便顺手把剩下的水倒掉。

禅师不悦地说道：“你怎么如此浪费？世间任何事物都有它的用处，只是大小价值不同而已。你那么轻易地将剩下的水倒掉，就是一滴水，如果把它浇到花草树木上，不仅花草树木喜欢，水本身也不失去它的价值，为什么要白白地浪费呢？虽然是一滴水，但是价值无限地大。”

弟子听后若有所悟，于是将自己的法名改为“滴水”，这就是后来非常受人尊重的“滴水和尚”。

滴水和尚后来弘法传道，有人问他：“请问世间上什么功德最大？”

“滴水！”滴水和尚回答。

“虚空包容万物，什么可包容虚空？”

“滴水！”

酷评

小事不小

如果你是一滴水，你将愿意去哪里？是去滋润干涸的大地还是被无情地泼掉？

我们不能忽略滴水的力量，滴水可以穿石，滴水也能汇聚成大海。滴水尚且不容小觑，更何况身边的小事，你无法预料它们对你的将来会有怎样的影响。

科学上有著名的蝴蝶效应至少可以说明：事物发展的结果，对初始条件具有极为敏感

的依赖性，初始条件的极小偏差，将会引起结果的极大差异。

社会也是如此。一个坏的微小的机制，如果不加以及时地引导、调节，会给社会带来非常大的危害，戏称为“龙卷风”或“风暴”；一个好的微小的机制，只要正确指引，经过一段时间的努力，将会产生轰动效应，或称为“革命”。

名人名言

魔鬼隐藏在细节中，永远不要忽视任何细节。

——林肯

差错发生在细节，成功取决于系统。

——比尔·马瑞特

企业未来的竞争，就是细节的竞争。

——布鲁诺·蒂茨

一个企业家要有明确的经营理念和对细

节无限的爱。

——比尔·马瑞特

我强调细节的重要性，如果你想经营出色，就必须使每一项最基本的工作都尽善尽美。

——克洛克

我们的成功表明，我们的竞争者的管理层对下层的介入未能坚持下去，他们缺乏对细节的深层关注。

——弗雷德·特纳

天下难事，必做于易；天下大事，必做于细。

——老子

成功是细节之子。

——费尔斯通

在艺术的境界里，细节就是上帝。

——米开朗基罗

管理好的企业，总是单调无味。他虽然亲自照料每棵树，也能够看到森林。

——尼克松

祸患常积于忽微，智勇多困于所溺。

——欧阳修

生活中要善于细心发现。

——罗丹

细心观察是为了理解，透彻理解是为了行动。

——法国谚语

没有顽强的细心的劳动，即使是有才华的人也会变成绣花枕头似的无用的玩物。

——斯坦尼斯拉夫斯基

失之毫厘，差之千里。

——《礼记·经解》

人生是一头马，轻快而健壮的马，人要像骑手那样大胆而细心地驾驭它。

——海塞

合抱之木，生于毫末；九层之台，起于累土；千里之行，始于足下。

——老子

对微小事物的仔细观察，就是事业、艺术、科学及生命各方面的成功秘诀。

——史迈尔

没有人会因学问而成为智者。学问或许能由勤奋得来，而机智与智慧却有赖于天赋。

——约翰·塞尔登

人生为一大事来，做一大事去。

——陶行知

伟大的事业，需要决心、能力、组织和责任感。

——易卜生

为伟大的事业捐躯，从来就不能算作是失败。

——拜伦

即便是世上最伟大的、最壮丽的事业，兴许也常常需要瘦弱的手去扶掖。

——斯宾塞

每一个伟大的事业，开头总只为少数人有闯劲的人所信奉。

——爱因斯坦

独辟蹊径才能创造出伟大的业绩，在街道上挤来挤去不会有所作为。

——布莱克

微软离破产永远只有 18 个月。

——比尔·盖茨

不会做小事的人，也做不出大事来。

——罗蒙诺索夫

一个人在哪儿都能找到自己的天地，只要他肯付出代价。

——亨利·詹姆斯

要努力比你的事业站得还高，使事业全部在你的脚下，你能一目了然，其中每一个小钉都能逃不过你的眼睛。

——高尔基

一辈子什么事也没干过的人，没有资格去批判那些只做了些小事的人。

——约翰逊

要朝气蓬勃地致力于任何事业，首先必

须热爱生活。

——约翰逊

对每个人来说，所期望的不是别人，而仅仅是他能全力以赴和献身于一种美好事业。

——爱因斯坦

要是想认真完成一项必要的事业，为人既要灵活，又要有一副铁石心肠。

——泰戈尔

我们的生命虽然短暂而且渺小，但是伟大的一切却正由人的手所造成。

——屠格涅夫

每个人生下来都要从事某项事业，每一个活在地球上的人都有自己生活中的义务。

——海明威

7.

危机蕴含机遇

☞ 耶稣勉励他的门徒说："不要为明天忧虑；因为明天自有明天的忧虑；一天的难处一天当就够了。"

☞ 中国作家林语堂在他的名著《中国人》中这样回顾中国的历史："中国的社会环境，对于想要做一些事情的人来说，总是不太正常。"是的，我们甚至很有可能在充满敌意的环境中生存。

☞ 我们需要计谋，但不能只有三十六计。真本领来自苦练，孙悟空如果不进太上老君的炼丹炉，不可能练就火眼金睛。

☞ 他又开始创作小说。他一天睡四五个小时，喝大量的咖啡，每天至少 26 杯！并留下这样的名言："如果我不在家，就在咖啡馆；如果我不在咖啡馆，那就是在去咖啡馆的路上。"

故事 31

离开看似最赚钱却不进步的地方

肖邦刚到美国时，还只是一个喜欢拉琴的年轻人，必须到街头拉小提琴卖艺来赚钱。

事实上，在街头拉琴卖艺跟摆地摊没什么两样，都必须争个好地盘才会有人潮、才会赚钱；而地段差的地方，当然生意就较差了！

肖邦很幸运地和一位黑人琴手一起争到一个最能赚钱的好地盘，在一家银行的门口，那里有很多的人潮……

过了一段时日，肖邦赚到了不少卖艺钱之后，就和黑人琴手道别，他想进入学校进修，在音乐学府里拜师学艺，也和琴技高超的同学们互相切磋。于是，肖邦将全部时间和精神，投入在提升音乐素养和琴艺之中。

在学校里，虽然肖邦不像以前在街头拉琴一样赚很多钱，但他的眼光超越金钱，转而投向那更远大的目标和未来。

10 年后，肖邦有一次路过那家银行，也发现昔日老友——黑人琴手，仍在那“最赚钱的地盘”拉琴，而他的表情一如往昔，脸上露着得意、满足与陶醉。

当黑人琴手看见肖邦突然出现时，很高兴地停下拉琴的手，热络地说道：“兄弟啊，好久没见啦，你现在在哪里拉琴啊？”

肖邦回答了一个很有名的音乐厅名字，但黑人琴手反问道：那家音乐厅的门前也是个好地盘，也很好赚钱吗？

“还好。”肖邦没有明说，只淡淡地回答。

那黑人哪里知道，10 年后的肖邦，已经是一位知名的音乐家，他经常在著名的音乐厅中献艺，而不是只在门口拉琴卖艺呀！

酷评

学会创造机会

人，必须懂得何时抽手，离开那看似最赚钱，却不再进步的地方。人，必须鼓起勇气，不断学习，再去开创生命的另一高峰。

生命是罐头，胆量是开罐器，要握着有胆量的开罐器，才能打开生命的罐头，才能品尝里头的甜美滋味。

我们会不会也像黑人琴手一样，死守着“最赚钱的地盘”不放，甚至还沾沾自喜、洋洋得意？我们的才华、我们的潜力、我们的前程，会不会因死守着“最赚钱的地盘”，而白白地断送掉？

眼前是一帆风顺，但是如果你在得意的时候先想出退路，你就不会在失意的时候，急急忙忙地去找寻出路。

第一等人创造机会，第二等人掌握机会，第三等人等待机会，第四等人错失机会。那么，你是第几等人呢？

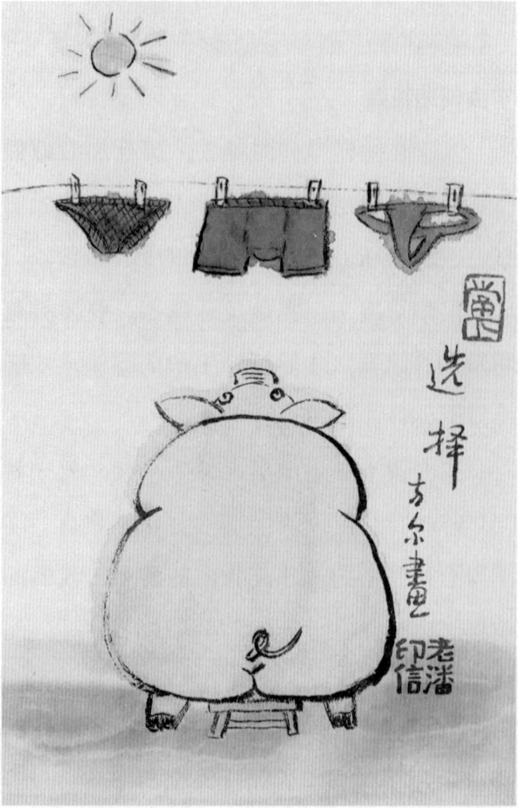

故事 32

压力的馈赠

一位出生在普通人家的年轻人，十分喜欢文学，但在他 30 岁之前从来没写过令他满意的作品。

他的亲人希望他能经商，这样生活可以因此更富足些，但是他却希望能够写作。他最大的愿望，就是有人能提供他一年的生活费用，让他能够安稳地写作。

但是，残酷的生活让他不得不走上经商的道路，他先后办了不少厂子，但没有一家能够成功；他也曾和出版商合作，经营图书，但也失败了；他又办了铸字厂和印刷厂，但厄运连连，这两家厂先后倒闭，而且欠下的巨额债务足以让他还30年。

没有钱的他，不得不走上卖文求生和还债的道路。一年之内，他发疯似地写下了3部小说，但那些书反响平平，销售也不理想，而且因为版权得不到保护，即使小说写成，也不足以解决生计问题。他改做记者，为多家日报撰稿，他每天写大量的文字，换来一些微薄的稿酬。

债主天天上门逼债，他绝望过，也想过放弃。但他十分崇拜白手起家、意志坚强的拿破仑，他把拿破仑的画像放到书桌前，鼓励自己必须坚持下去。

他又开始创作小说。他一天睡四五个小时，喝大量的咖啡，每天至少26杯！并留下这样的名言："如果我不在家，就在咖啡馆；如果我不在咖啡馆，那就是在去咖啡馆的路上。"他每天晚上8点上床，午夜起来写作，直到早晨8时。为了让自己的文字尽快变成金钱偿还债务，每天早餐之后，他就把手稿送到印刷厂。因为创作时间仓促，文章上经常有错字和文理不通的部分，他只好对校样改了又改，而且他不是只改动几个标点，而是大段大段地重写。一本名叫《老处女》的小说，他一连改了9次，最后让排字工人十分厌烦，他们甚至抗议，发誓以后不再排他的文字。

他在30岁之后的生活，几乎全是为债务而发疯似地写作。在后来的20年内，他创造了100多部小说，其中的《人间喜剧》《高老头》等几十篇小说成为传世之作。在他逝世的前两年，他还在修改20多年前的手稿。

他就是法国著名的作家巴尔扎克。巴尔扎克能从一个平庸作家成为著名作家，动力竟来源于那些巨额债务。为挣钱还债，他写作、写作、再写作。

酷评

压力可以转化为动力

很难想象一个伟大的作家竟然有这样的创作动机，但巴尔扎克的故事却让我们明白，压力是成功的催化剂，它可以催生许多奇迹。

《现代汉语词典》对压力和动力作如下解

经常感觉压力山大
方爾畫

释：压力，是“从上往下增加重力，加压”；动力则是“比喻推动事业前进的力量”。社会的发展，在给人提供动力的过程中也带来了空前的压力。因而，我们必须学会如何将压力转化为动力。

没有压力就没有动力。常言道：“井无压力不出油，人无压力轻飘飘。”生活中，人们经常有这样的感觉，挑着重担的人比空手步行的人要走得快，其中的奥妙，便是压力的作用。

人生在世，承受不同程度的压力则是一种必然。在工作和生活中遇到的困难、挫折、不幸都是一种压力。特别是当前，生活节奏不断加快，竞争日渐激烈，追求的落空、下岗的痛苦、生计的危机、爱情的困惑等，都在人们的精神和心理上构成了种种压力。因此，我们无法撇开压力去谈人生。

然而，虽然压力可以造就一个人，但它也能摧毁一个人。压力也是要有个度的。太大的压力会把人摧垮，适当的压力、才会对成长有帮助，才促进成长。

学会把握压力，转压力为动力。

故事 33

危机

两只青蛙——老青蛙和他的儿子，掉入了一桶牛奶中。它们为了求生不停地游，游了好长时间还是看不到希望。

老青蛙就对儿子说："我累了，快淹死了。"

儿子努力鼓励老青蛙："不，继续游，继续游，就会出现奇迹，要有信心。"

可是，半个钟头后，青蛙爸爸还是停下来了，泄气了，结果沉到牛奶桶底。而青蛙儿子则继续不停的游下去，被搅拌的牛奶慢慢形成一个黄油球。

不久，它脚下的黄油球变硬了，青蛙儿子将这个“球”当作平台，纵身一跳，竟然跃出了那个牛奶桶。

在所有危险中，不要忘记里面也包含着机会。救星就在这个机会中，而机会是人去创造的。“危机”这个词，本应解释为危险加机遇。

酷评

危中有机

是的，“危机”这个词，本来就可以解释为危险加机遇。这就是说，机遇和挑战永远是并存的。

人与人的不同，就是在一道道艰难险阻中表现出来的。胜出者总是那些在关键时刻咬牙坚持的勇者。他们有着坚实的信靠，笃信凭借自身的实力和意志终将战胜险阻。这样的人，善于把握机遇，他们正是在一次又一次的难关中认识自我、走向成功。

商场上历经风雨的神话企业，就是在无

数次面临巨浪和触礁危险中成长并崛起的。有必胜的信念，有沉稳内敛的信心，先辈们临危不惧、从容应对，他们的力量和勇气，为后人留下了最好的范例。

奇迹是执着者造就的。只要心存希望，总有奇迹发生。人生可以没有很多东西，却唯独不能没有希望。不论遇到什么样的困苦，都不能绝望。

危中有机，星星之火可以燎原，应该坚信：纵然只有一线生机，也有化解难题的可能。

故事 34

极夜的故事

一个探险队被迫留在了南极，只能等待求援。

不巧的是，极夜来临了。这意味着，整整一个多月，这儿将只有黑夜而没有白昼。虽然有足够的食物与生活必需品，但冰天雪地、与世隔绝的生活让人寂寞，等待的枯燥和不安又让人难以忍受，队员们都觉得自己快疯了。

悲惨的事情终于发生了：真的有一个人发疯了，他偏偏还是探险队里的医生。他不吃不睡，整个人像冰一样抑郁。大家非常着急，想找办法，但是毫无头绪。

慢慢地，大家发现，只要有人对着他说话，他的症状就会缓解一些，如果有人能讲一个好听的故事，他的表情就生动而舒缓起来。于是，大伙儿想出了一个办法：每人轮流为病人讲故事，没轮到的人就自己先编故事。

为了帮助同伴缓解病情，每个人都调动了有生以来最大的想象力和创造力，不仅编了很多故事，还把故事讲得十分精彩。

在那么多美丽的故事“治疗”下，病人的症状没有恶化，他终于和其他队员一起熬过了漫漫极夜，等到了救援部队到来的那一天。

接下去，出乎意料的事情发生了：其实这个医生根本没疯。当时他清楚地知道，如果不采取措施，大家的精神迟早会崩溃。所以，他急中生智，率先“疯”了。

创造力和执行力

这是一个感人的故事，让人叫绝和钦佩。

我们在很多情况下能够急中生智，但并不是任何时候都能生出智慧。很多时候，在“急”中只会生出慌乱。所以，遇到紧急情况的时候，首先要做的是冷静，然后再想出能够处理并解决问题的方法。

这就是人性的闪光点，这个闪光点最有价值的地方在于——有胆有识。在危急的时候，要有足够的见识才能想出金点子，这也是要积极调动人的潜能，每个人都有潜能，重要的是能不能把这个潜能激发出来。

另外，也要有足够的胆量来放手一搏，将想法实现出来。因为很多时候，想到了，但是畏首畏尾不敢行动也是白搭。就好像讲故事，平时可能有的人不擅长或者不乐意做，但是关键时刻，还是人人都能做到的。

是的，敢想敢做，才能渡过困境、取得成功。

所以，一方面要有创造力，另一方面要有执行力，两者缺一不可。

故事 35

画好自己的底线

两个年轻人寻找隐居的武术大师，想学一些武术方面的窍门。

他们到达深山时，发现大师正从山谷里挑水。桶里的水不多，两只桶都没装满。在他们的想象中，大师应该能手举千斤。

“怎么只挑这么点水呢？”他们疑惑地问。

大师回答：“挑水之道并不在于多，而在于够用。一味贪多，反而适得其反。”接着，大师让其中一人重新从山谷里打了满满的两桶水。只见那人非常吃力，没走几步，就摔倒了，不仅洒了水，膝盖也破了。

“水洒了，不得重打一桶吗？膝盖破了，难走山路，挑的水不是更少了吗？”大师解释道。

年轻人不解：“那么，我们怎么才能知道应该挑多少呢？”大师指着桶里的一条线说：“这条线是底线，水绝不能超过这条线，超过了就高于自己的能力和需要了。起初可能需要画一条线，但挑的次数多了以后凭感觉就能知道是多是少了。这条线提醒我们，凡事要尽力而为，也要量力而行。”

年轻人又问：“这条底线应该怎么定才好呢？”

大师说：“一开始越低越好。低的目标容易实现，不易受挫，反而可能培养起更大的兴趣和热情，长此以往，循序渐进，自然会挑得更多、挑得更稳。”

酷评

最理想的“变”是“不变”

有这样一个问题：如果篮球架的高度可

以改变，那么你会选择怎么改变？是变高、不变还是变低？

其实，“不变”是最理想的：原本的这一高度，跳一跳就能把球投进了。这就好像制定预期的努力目标一样，适当的高度，努力一下就能成功。如果目标高了，则是理想主义，无谓地浪费体力人力物力；如果目标低了，那会让人丧失进取心。所以，目标一定要力所能及，不要异想天开。

街上有一种常见的套圈游戏，在地上的白线之外，你套中哪个玩具，哪个玩具就归你。假设这条线没有了，你会站在哪里套呢？有一种人就在玩具的正上方套，一种人喜欢在很远的地方飞过去，还有一种人还是站在原来白线的位置套。第一种人是没有追求的；第二种人是理想主义，投中的概率几乎是零，很容易失败，也很容易沮丧；而第三种人是合理的，他的选择在合理的范围内。

这是一个有关“挑战”的问题。生命需要挑战，人生需要超越。有挑战才会有胜利，

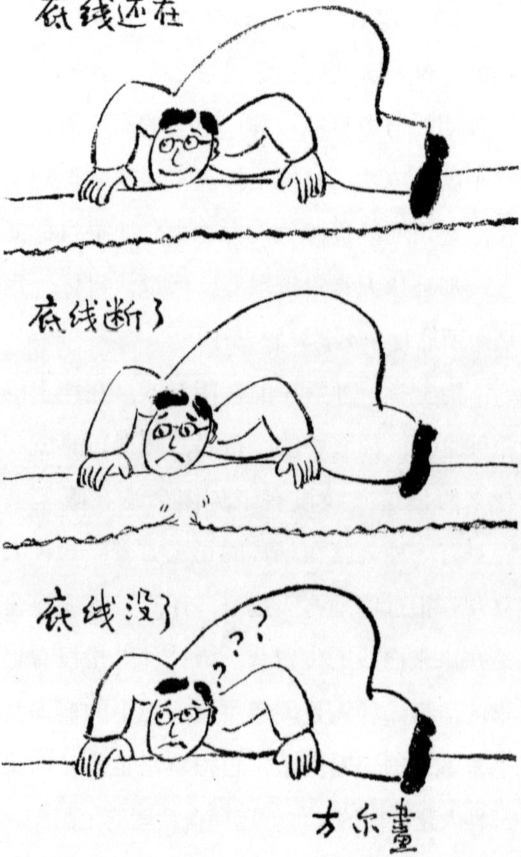
底线还在
底线断了
底线没了
???
方尔畫

有胜利才会有前进，有前进才会不断完善自我、发展自我。

挑战，是人生的一道坎，跨过去，风光无限。没有人一生都是一帆风顺的，只有勇于挑战，才能不断获得成功。

没有挑战，就会显露出人生的肤浅苍白。离开挑战，就意味着没有了思想之源。因为挑战，才迫人思索，才逼人明智，才使人练达；只有明智练达，而又富有创新精神的人，人生才会卓越，生命才能不同凡响。

面对挑战，我们要有必胜的信心，要有坚韧的斗志。要相信，人生因挑战而精彩，每一次的成功带给你的不单单是喜悦，更重要的是经验。

当然，朝着目标奋斗也好，向着挑战进军也好，只有循序渐进，方可逐步达到目的，并且避免许多无谓的挫折。急于求成，总是会失败。没有人能一口吃成一个胖子。

名人名言

不敢冒险的人既无骡子又无马；过分冒险的人既丢骡子又丢马。

——拉伯雷

接受挑战，就可以享受胜利的喜悦。

——巴顿

人生要不是大胆地冒险，便是一无所获。

——海伦·凯勒

所谓活着的人，就是不断挑战的人，不

断攀登命运险峰的人。

——雨果

要冒一次险！整个生命就是一场冒险。走得最远的人，常是愿意去做，并愿意去冒险的人。

——卡耐基

世界潮流浩浩荡荡，顺之则昌，逆之则亡。

——孙中山

机会是极难得的，但它具备三大成功的条件，那就是：像鹿一般会跑的腿、逛马路的闲工夫和犹太人那样的耐性。

——巴尔扎克

没有侥幸这回事，看起来好像是最偶然的意外都是有因果关系的。

——席勒

利用良机对庸才来说都是一个秘密，而这正是比一般水平之人高出一等的主要力量所在。

——拿破仑

当危险在逼近时，善于抓住时机来迎击它要比犹豫躲闪更为有利，因为犹豫的结果恰恰是错过了克服它的机会。

——培根

没有意图，就没有机会，因为只有在有意图的构想的情况下，“机会”这个字才有意义。

——尼采

贤者把机会变成幸福。

——桑塔亚那

当良机出现在我们面前时，我们要及时抓住它，利用它，这是生活的一大艺术。

——塞缪尔·约翰逊

如果你错过了太阳时你流了泪，那么你也要错过群星了。

——泰戈尔

机遇像一块粗糙的石头，只有在雕刻家手中才能获得新生。除此比喻，机遇又能算什么呢？上天给了我们机遇，而我们必须按自己的设想去塑造它。

——席勒

从容不迫地谈理论是一件事，而把思想付诸实际，尤其在需要当机立断的时候，又是一件事。

——罗曼·罗兰

只要有所事事，有所追求，人就把握了机遇的年轮。

——爱默生

生活中必须见机行事；时而用软的一手，

时而用硬的一手；有时则要当机立断，干净利索，豁出去干一下！

——高尔基

幸运每个月都会降临，但是如果你没有准备去迎接它，就可能失之交臂，可别错过了这个月的幸运。

——卡耐基

每个人的一生中，幸运女神都来敲过门，可许多人就在隔壁房间，却竟然没听见。

——马克·吐温

不要坐失时机，当时机把有头发的头伸出来而没有人去抓时，回头它便会伸出一个秃头来。

——莎士比亚

智者创造的机会，比他得到的机会要多。

——培根

机会是在一切努力中最杰出的船长。

——索福克勒斯

人们若是一心一意地做一件事，总是会碰到偶然的机会的。

——巴尔扎克

才智和勇气必定满意地与机遇共享荣誉。

——塞缪尔·约翰逊

所谓强者，是既有意志，又能等待时机的人。

——巴尔扎克

能把在面前行走的机会抓住的人，十有八九会成功；但是为自己制造机会，阻绝意外的人，却稳保成功。

——卡耐基

梦和预感出自内心，机遇则来自外在。

——海塞

生活为我们提供的机遇可以看作是新的起点，它们绝不是终点。

——安德烈·纪德

要想利用风驰电掣的机会，不仅要做好物质上的准备，更重要的是要做好精神上的准备。

——塞涅卡

机会不会上门来找人，只有人去找机会。

——狄更斯

如果有人错过机会，多半不是没有机会到来，而是因为等待机会时都没有看见机会到来，没有一个人伸手去抓住它。

——罗曼·罗兰

如果有工作要做，就应该立刻做好，如果交运时你发现自己毫无准备，就不该怪命运女神，而应当埋怨你自己。

——克雷洛夫

8.

竞争带来活力

☞ 因为鲶鱼是食肉鱼，放进鱼槽后，鲶鱼便会四处游动寻找小鱼吃。为了躲避天敌的吞食，沙丁鱼自然加速游动，从而保持了旺盛的生命力。如此一来，沙丁鱼就一条条活蹦乱跳地运到渔港。这在经济学上被称作“鲶鱼效应”。

☞ 华侨领袖陈嘉庚当年变卖了他的家族在海外的所有家产，创办了厦门大学等学校。而正是这么一个出众的人物，在去人民大会堂开会的时候，他身上穿着的却是有补丁的衣服。

☞ 武术界有这样的古训：“行家伸伸手，就知有没有。”而我们还应该知道“有多少”“何时何地因何原因有的”……这才是真正的行家。

故事 36

两个海

巴勒斯坦有两个著名的海。

一个叫加利利海，它从高山流到约旦河，一路上带着飞溅的浪花，水流奔腾入海。它给途经的各地，都带来了富饶与繁荣。它灌溉土地，养育生灵，人们在它周围建造房子，动物在它附近活动，每种生物都因它而幸福。

约旦河向南流入另一个海。这里没有植物和鸟类的歌唱，动物们都不愿意在此饮水，没有人选择住在附近，甚至连鱼儿也不愿住在这个海里。

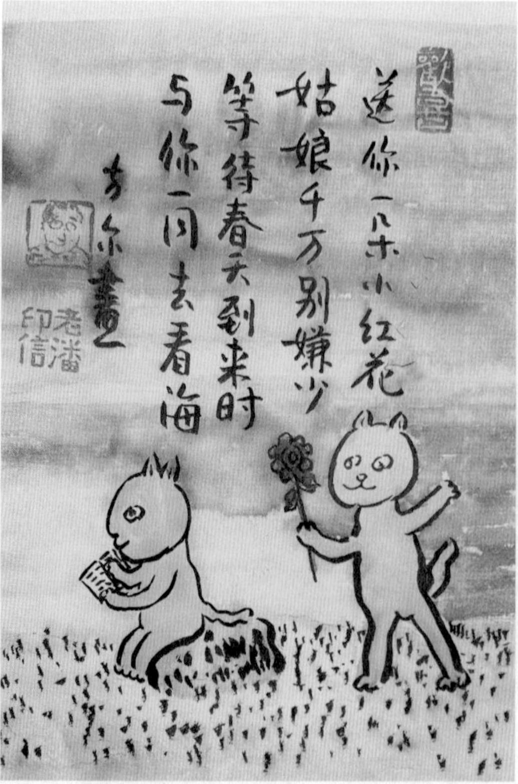
送你一朵小红花
姑娘千万别嫌少
等待春天到来时
与你一同去看海
老潘印信

这两个海彼此相邻，却如此不同。它们的区别不在于气候环境、土壤和周边的国家，而是因为，加利利海不把持它所拥有的水，每流入一滴就有另一滴流出。接受与付出同在。另一个海则死死地锁住每一滴水，不让海水流出，它就是死海。

巴勒斯坦有两个海，世上有两种人。

酷评

与众不同是一种魅力

像世界上许多其他的海一样，加利利海尽可能地施展所长，付出自己的一切，灌溉土地，孕育生命。死海却走了一条截然不同的道路。与别的海不同，它不能给周遭的一切以生命和关爱，却以另一种方式证明了自己的存在。而正由于自己的与众不同，它方能声名远播，成为比加利利海更有名的旅游胜地。

人们见惯了普通的海，再美的海滩度假地也不过是以阳光、沙滩和湛蓝色海水吸引游客的。死海的独特，却成了舍我其谁的特殊风貌。没有一个海能像死海那样，让人不穿救生衣就能够漂浮在海面上。人们甚至可以躺在海面上看书、休息。许多人不远千里来到约旦，就是为了看一看世界上最特别的海。这，就是那个曾经不被人看好的“死”海。死海的故事和丑小鸭的童话颇为类似，自以为异于同类而无比自卑的丑小鸭，却是同类永远无法企及的白天鹅。

如果你觉得自己不如别人，大可不必着急，相信自己！相信天生我才必有用。

试着审视一下自己，也许你就能发现隐藏在身上尚未发掘的潜能。

故事 37

鲶鱼效应

西班牙人爱吃沙丁鱼，但沙丁鱼非常娇贵，极不适应离开大海后的环境。当渔民们把刚捕捞上来的沙丁鱼放入鱼槽运回码头后，用不了多久沙丁鱼就会死去。而死掉的沙丁鱼味道不好销量也差，倘若抵港时沙丁鱼还存活着，卖价就要比死鱼高出若干倍。

为延长沙丁鱼的存活期，渔民想方设法让鱼活着到达港口。

后来，渔民想出一个法子，将沙丁鱼的天敌——几条鲶鱼放在运输容器里。因为鲶

时感到某种压力，丝毫不敢疏忽。

老板主要任务是确立制度。如果建立了一套完善的制度，让员工意识到，无论任何时候，都须一如既往地认真工作，那么，底下的员工就不会钻空子偷懒了。

人做一次自我检查容易，难就难在时时进行自我反省，时时给自己一点压力、一点提醒。公司管理者就需要充当这个提醒者，时时给他们一点压力、一点动力，以保持员工不懈的进取心。经理的最大考验，不在于经理的工作成效，而在于经理不在时员工的工作时效。

故事38

良种玉米

一个农民得到亲戚送的一些玉米良种，但他不确定这种子是否真的能高产，便先在自家的地里试种了一小块。没想到，这种玉米的产量是一般玉米的两倍，这个农民乐坏了，他觉得他要发财了。

乡亲们都知道了这事，纷纷来到他家，想要购买他的玉米良种，可无论怎么跟他说，这个农民就是不答应。他才不愿意让别人都提高产量呢，那不是他又没得赚了吗？

春天来临的时候，这个农民在地里全种

上了这些玉米良种，他满心期待丰收的到来。没想到，这年他家的玉米不但没有丰收，而且比过去普通玉米种子的产量还要低！他百思不得其解，甚至怀疑是因为村民们没有得到玉米良种，所以暗中对他家的玉米动了手脚。

直到有一次，他的亲戚来看望他，听他说了此事，才道出了真相：原来良种玉米的周围都是普通玉米，那么良种玉米接受的大多是附近普通玉米的花粉，这样自然良种玉米也变成了普通玉米了。如果大家都种上了良种玉米，就不会出现这种结果。

这个农民这才醒悟道：

“原来，帮人就是帮自己啊！”

酷评

施比受更有福

古人说得好：“一枝独秀不是春，万紫千红春满园。”说的道理是人不能自私。有的时候，帮助别人，可能帮助的恰恰是自己。你今天帮助了别人，以后别人也就会帮助你。更何况，在你帮助别人的同时，对你的人格、性情都是最好的陶冶。

人不能没有爱心，每一个人都会有不同层次的需求，从马斯洛的需求层次论中可以看出：人除了最基本的生理需求外，还有安全、社交、受人尊重及自我实现的需求。《圣经》中也谈道："施比受更有福。"由此可见，人类最伟大的光辉一面就是"爱心"。我们给出爱心的同时，我们也会收获爱，得到爱。

从这个故事中我们还可看到，消极的竞争在某种程度上的不妥之处，往往存在这样一种不是太好的观点：就是非得是你不厉害，我厉害！而积极的竞争，就是相对比较正直而良性的竞争，也就是：你厉害，我不怕，我会努力比你更厉害！认识到这一点，我们明白了，嫉妒、排挤并不是促使进步和成功的方法，你追我赶、在帮助中共同进步的竞争，才是能进步最多、成功最大的竞争。

由此，我们也发现，环境十分重要，环境造就人才。古有孟母三迁的经验，现有良种玉米受普通玉米花粉影响的教训，我们不得不承认“近朱者赤，近墨者黑”的古训。

故事 39

什么都会的鼯鼠

一年一度的森林运动会又要开始了，比赛的项目有赛跑、爬树、游泳、飞行和打洞。动物们纷纷报名参加自己拿手的项目。鼯鼠也来了，大摇大摆地一下子把所有的项目都报了。

周围几只叽叽喳喳的小麻雀一看都闭了嘴，佩服地飞走了，而且逢人便说："鼯鼠可厉害了，它什么都会！"

比赛开始了。

第一个项目是赛跑，豹子、兔子都像离

弦的箭一样射了出去，不一会儿就到了终点。兔子又像往常那样在树下睡了一觉，没想到等它醒过来后，鼯鼠还没到终点。

鼯鼠接着去爬树，可是还没到树顶就抖抖瑟瑟地不敢再爬了，只抱着树枝动弹不得，上也不是下也不是，只好靠爬到树顶摘果子的猴子下来救它。

游泳比赛的时候，鼯鼠又是游到一半游不动了，只能大声喊救命，多亏好心的乌龟把它驮回了岸。

飞行比赛开始了。哨声刚响，老鹰一下儿就飞得没影了，鼯鼠扑腾着飞了几米远就掉了下来，着地时还摔了个嘴啃泥。

最后，鼹鼠和穿山甲比赛打洞。穿山甲一会儿就钻进土里不见了，鼯鼠吃力地刨啊刨，半天才钻进半个身子。观众见它撅着屁股扭来扭去，都哄笑起来。

鼯鼠虽然会五个项目，可没有一样是中用的，这哪能算真正有本领呢？

打造核心竞争力

学习也是这样，光学得多是不够的，还要学得精才行。这只老鼠失败在没有核心竞争力，样样都懂，其实什么也都不懂。

这就是核心竞争力问题：任何一个人和一个企业都要具备核心竞争力，才能在社会上生存。比如新浪网的核心竞争力是新闻，所以他们做得很好；而其他一些门户网站就

面临这样的困境：没有核心技术，那也就没有核心竞争力。

要懂别人不懂的东西，让这件事只有我做得了，别人做不了，有了核心竞争力就可以立足了。

然而，虽然老虎已经很厉害了，但还得学会飞。有核心专业，也要有辅助专业。每个人都有自己的专业，不妨学一学相关专业，或对自己有帮助的知识。

武术界有这样的古训："行家伸伸手，就知有没有。"而我们还应该知道"有多少""何时何地因何原因有的"……这才是真正的行家。

故事 40

捕蝉的技术

一天，孔子游历到楚国，经过一片树林的时候，看见一个人在捕蝉。那人驼背弓腰，用竹竿来捕蝉，就好像在地上拾取一样，从来不会失手。

孔子走上前去，拱手行礼，问道："先生技术如此娴熟，有什么秘诀吗？"

那人回答说："我有秘诀。五六月间，正是捕蝉的好时候。我刚开始捕蝉的时候，也像别人一样，常常失手。后来，我在竹竿顶上放两个小球，用手举着，身子不动。这样训练几个月后，小球在竹竿上已经可以不掉下来。这时去捕蝉，失败的概率就很低了。后来，我在竹竿上放三个小球，如果不掉下来，这时去捕蝉，失败的概率就更少了。再后来，我放五个小球在竹竿上，训练得不掉下来后，这时去捕蝉，就好像在地上拾取一样，再也不会失手了。”

孔子赞叹说：“妙啊！”

那人继续说：“我捕蝉的时候，身体像木头一样静止不动。我把持着自己的手臂，就好像把持着一棵枯木一样。天地虽大，万物虽多，除了蝉的翅膀，一切我都看不见。我不回头也不侧身，不因为万物而转换对蝉翼的注意力，这样难道还不能捕到蝉吗？”

孔子感叹不已，回过头来对弟子们说：“用心专一，精神高度集中，就可以达到神奇的境界，说的就是这个驼背老人啊！”

老人说：“你们这些锦衣玉食之人也懂得过问这些道理吗？走吧，先抛弃你们那套仁义礼教，再来谈论这些吧！”

小心核心竞争力变成基础竞争力

如果一心多用，同时做好几件事情，到头来很可能没有一件事能办成。我们做任何事，聪明的话就应该专注于某个方面，这样的道理不仅适用于个人，也适用于企业。

一个企业必须要有核心竞争力。比如罗技（Logitech）一直是以鼠标、键盘等电脑外设为主要生产线的，随着公司产品系列的研发也着手占领摄像头市场。但是，当有人问道，其他电子元器件目前市场相当庞大，为什么罗技不去插一脚的时候，罗技的负责人回答道，我们不是没有这样的技术，只是我们非常清楚自己公司的核心竞争力在哪里，花费精力去抢占一块根本不熟悉的战场，这将得不偿失。

但是，仅仅只保有核心竞争力也是不够的。

要知道这个世界上总会有人与你是同行。同行之间，核心竞争力就变成了基础竞争力，你所掌握的技术别人也有。这时我们应该靠什么来抢占市场份额呢？

据说诺贝尔物理学奖获得者李政道教授在招收博士生的时候，并不对学生的物理学基础多作考察，只是问能不能坚持 48 小时不睡觉，这是因为李教授所进行的粒子对撞实验需要持续 48 小时观察。因此，在核心竞争力以外，能坚持不睡觉竟然也成了一种附加竞争力。

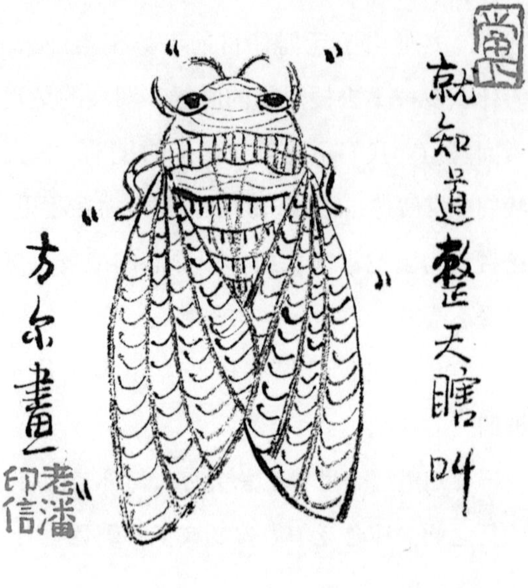

名人名言

没有经过逆境的人不知道自己的力量。

——本·琼森

一切不幸都是可以忍受的，天下没有逃不出的逆境。

——屠格涅夫

人在深处逆境时，适应环境的能力实在惊人。人可以忍受不幸，也可以战胜不幸，因为人有着惊人的潜力。

——卡耐基

人在逆境里比在顺境里更能坚持不屈。遭厄运时比交好运时更容易保全身心。

——雨果

不因幸运而故步自封，不因厄运而一蹶不振。真正的强者。真正的强者，善于从顺境中找到阴影，从逆境中找到光亮，时时校准自己前进的目标。

——易卜生

患难困苦，是磨练人之最高学校。

——梁启超

困难，是动摇者和懦夫掉队回头的便桥；但也是勇敢者的踏脚石。

——爱默生

开发人类智力的矿藏是少不了需要由患难来促成的。要使火药发火就需要压力。

——大仲马

人的生命似洪水在奔流，不遇着岛屿、暗礁，难以激起美丽的浪花。

——奥斯特洛夫斯基

风如马，任我跨；云如雪，随我踏；哪儿有困难，哪儿就是家！

——郭小川

种子不落在肥土而落在瓦砾中，有生命的种子决不会悲观叹气，因为有了阻力才能磨练。

——夏衍

一个人到了山穷水尽的地步，而能够自拔，才不算懦弱呵！

——徐悲鸿

我总设法把每桩不幸化为一次危机。

——洛克菲勒

我认为挫折磨难是锻炼意志增加能力的好机会，讲到这一点，我还有对千方百计诬陷我者表示无限的感谢！

——邹韬奋

我们若已接受最坏的，就再没有什么损失。

——卡耐基

一个人绝对不可在遇到危险的威胁时，背过身去试图逃避。若是这样做，只会使危险加倍。如果立即面对它毫不退缩，危险便会减半。

——丘吉尔

我始终不愿抛弃我的斗争的生活，我始终重视由斗争所得来的经验，尤其是战胜困难后所得的愉快。

——爱迪生

上天完全是为了战胜我们的意志，才在我们的道路上设下重重的障碍。

——泰戈尔

通向人类真正伟大的境界的道路只有一条：苦难的道路。

——爱因斯坦

让我们不要祈求免遭灾难，只让我能大胆地面对它们。

——泰戈尔

没有战胜过困难，没有负过重负的人，不能成为真正的人。

——苏霍姆林斯基

伟大的心胸，应该表现出这样的气概：用笑脸来迎接悲惨的厄运，用百倍的勇气来应付一切的不幸。

——鲁迅

凡是天性刚强的人，必定有自强不息的力量。

——罗曼·罗兰

在大胆的行为面前，议论和争辩显得如此贫乏可怜。

——惠特曼

在劳动和创造的领域里，不要担心大胆鲁莽和奋不顾身。

——高尔基

害怕，这是我们唯一应该害怕的东西。

——罗斯福

敢于正视现实是有胆量的表现。

——爱默生

后记

成为“知道”的人

人分四种：不知道自己不知道，知道自己不知道，知道自己知道，不知道自己知道。其实，这也是个人要经历的四个阶段。

如何成为“知道”的人？

我担任大学老师40年，天天“传道授业解惑”，教过的学生数以千计。在与几代学生朝夕相处中，充分了解年轻人的所思所想，常常讲述一些经典故事来引导学生更新观念，也曾出版过十多本故事书，并欣喜地看到，我们的故事被一些知名企业用于内部培训。

通过对毕业生的追踪调查，发现在社会上成长得最好的那部分毕业生，大多不是学校里面传统意义上的好学生，由此引发深入思考。究其原因，不仅仅是智商与情商问题，更在于深层次的认知与观念水平。

为引领当今的年轻读者在最短时间里迅速更新观念，走上成功道路，开创全新人生，我们精选了古今中外的经典故事，从故事的文化背景看，有东方的与西方的故事；从故事的内容看，有禅宗的、道家的，以及幽默故事等。与一般故事书不同，每则故事后面都有详细解读，引发思考。

如今的这套“人生 360 度 · 一分钟经典故事”，包括《不知道自己不知道》《有一种人生叫等待》《没有上锁的门》《只有一根柱子》《画好自己的底线》《宽容是件奢侈品》6 本。除了故事，除了酷评，我们还汇集了相关的名人名言，配以读者喜闻乐见的漫画。我们希望通过这些内容，揭示人生智慧，传播现代观念，让每一位读者成为“知道”的人。我们坚信：更新观念，是走向成功的必由之路。

在此，感谢参与丛书编写的陈鸣、戴旻理、金怡、金婕、陆雅茹、徐蕾蕾、马骏骥等合作者，尤其要感谢漫画家、篆刻家潘方尔先生与上海辞书出版社文化读物编辑室主任朱志凌先生。

康桥写于 2024 年开学季

图书在版编目(CIP)数据

画好自己的底线 / 康桥编著；潘方尔绘．—上海：上海辞书出版社，2024．—(人生 360 度：一分钟经典故事)．—ISBN 978-7-5326-6263-0

Ⅰ．I14

中国国家版本馆 CIP 数据核字第 2024YN2221 号

人生 360 度 · 一分钟经典故事

画好自己的底线

康　桥　编著　潘方尔　绘

策划统筹	朱志凌	**书名篆刻**	潘方尔
责任编辑	朱志凌	**图片编辑**	洪　文
文字编辑	李婉青	**整体设计**	零贰壹肆设计工作室
技术编辑	楼微雯		

出版发行　上海世纪出版集团　上海辞书出版社®（www.cishu.com.cn）

地　　址　上海市闵行区号景路 159 弄 B 座(邮政编码:201101)

印　　刷　浙江经纬印业股份有限公司

开　　本　787 毫米×1092 毫米　1/32

印　　张　7.5

字　　数　93 000

版　　次　2024 年 9 月第 1 版　2024 年 9 月第 1 次印刷

书　　号　ISBN 978-7-5326-6263-0/I · 588

定　　价　39.80 元